Y0-CDQ-714

베스트셀러 우리가 오르지 못할 산은 없다 에 이은 또 하나의 성공지침서!

내 안의 성공을 찾아라

— 자기 창조를 위한 7가지 원리

강영우 지음

생명의말씀사

내 안의 성공을 찾아라

책의 앞머리에

나와 진영이는 워싱턴에 동시에 입성하였다. 1972년 연세대를 나와 도미 유학 후 정착한 이민 1세와 유학 기간 중 피츠버그에서 태어난 2세가 나란히 행정부와 입법부에 진출하게 된 것이다. 재미나는 것은 나는 공화당으로 부시 대통령 지명을 받아 상원에서 임명 동의 인준을 받았고, 진영이는 민주당으로 상원 법사위원회에서 일리노이 출신 리처드 더빈 상원의원 고문 변호사로 채용된 것이다.

2003년은 우리 민족이 하와이 사탕수수밭 인부로 기회의 땅 미국으로 이민을 온 지 백년이 되는 해이다. 미국 전역에서는 이민 백주년을 기념하는 각종 행사가 이미 시작되어 한창이다. 그 백년 역사 속에 나는 한인 최고 공직자가 되었으며 진영이는 미 연방 상원 최연소 고문 변호사의 영광을 가지게 되었다. 내 직급은 차관보로 백악관 직속 연방정부 독립기구인 국가장애위원회에서 5천 4백만 미국인 장애인들의 삶의 질을 향상시키는

Power is not from a position,

정책을 개발하여 대통령께 정기적으로 보고하고 추천하는 일을 하고 있다. 한편 진영이는 상원 법사위원회 법률 고문단 일원으로 민권, 노동, 총기 사용 등 형법 분야에서 미국 국민들의 자유와 평등을 보장하고 삶의 질을 향상시키는 데 영향을 끼치고 있다. 아내와 진석이도 성공했다. 아내는 공립학교 석사학위 종신교사로 사반세기를 봉직했으며 진석이는 안과의사의 꿈을 실현했다.

육신의 빛을 잃고 캄캄한 어둠 속을 헤맬 때에는, 나의 실명이 축복의 도구가 되어 명문가의 꿈을 이루게 하리라고는 상상도 못했다. 아내는 사랑에 근거한 특수 교육자로 미국교육계명사인명사전과 미국여성명사인명사전에 이름을 남겼으며, 나는 미국명사인명사전과 세계명사인명사전에 이름을 남겼을 뿐 아니라 경칭 "Honorable"을 공식적으로 사용하는 연방정부 고위 공직자가 되었다. 하나님께서 주신 고유한 인생의 사명을 실명이라는 어려움을 통해 발견하고 타고난 능력을 최대로 개발하여 주류사회에서 두각을 나타내게 된 것이다.

유전을 통해 타고난 기본 능력에 노력과 태도를 곱하면 성취도가 결정된다. 그러니까 아무리 타고난 능력과 재능이 많아도 노력을 안하고 부정적인 태도를 가지면 성취도는 마이너스가 될 수밖에 없다. 즉 플러스 기본 능력에다 마이너스 노력과 태도를 곱하면 성취도는 마이너스가 되어 적자 인생을 살게 되는 것이다. 반대로 플러스 기본 능력에 플러스 노력과 긍정

but it comes from what you believe in

적인 태도를 곱하면 성취도는 플러스가 되어 흑자 인생을 살게 된다.

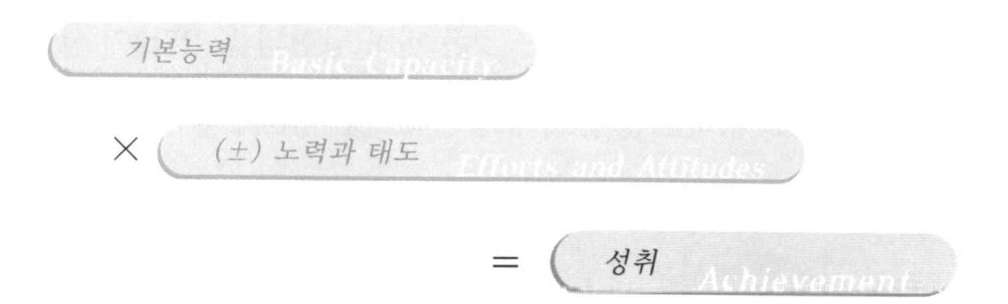

이 책은 성취동기가 되는 노력과 긍정적인 태도를 극대화하여 자신을 새롭게 창조하기 위한 7가지 원리를 소개하고 있다. 이 7가지 원리는 학문적으로 검증되어 정설로 받아들여지고 있으며, 성경에서 그 기원을 찾을 수 있다. 뿐만 아니라 우리 네 식구를 비롯해서 수많은 사람들이 실천하여 체험적으로 입증된 것이다.

적자 인생을 사느냐 흑자 인생을 사느냐는 전적으로 당신에게 달렸다. 성취자가 되어 흑자 인생을 살라. 성공도 하고 명문가 건설의 꿈도 이루라. 불가능을 가능하게 하는 힘은 그것이 무엇이든지 내 안에 있다는 진리를 기억하라. 부시 대통령은 "힘은 지위에서 나오는 것이 아니라 당신이 믿는 것에서 나온다."(Power is not from a position, but it comes from what you believe in)고 했다.

모든 사람은 천지만물을 창조하신 하나님의 형상대로 지음받았기에 무한한 잠재 능력을 가지고 이 땅에 태어났다. 피눈물 나는 노력과 긍정적이고 적극적인 태도로 타고난 능력을 최대로 개발하여 성취자가 되고 선망의 대상이 되는 명문가의 꿈을 이루는 것은 바로 당신의 몫이다. 이 사실을 염두에 두고 이 책을 읽어 자기 창조에 성공하기를 바란다.

끝으로 이 책이 나오기까지 곁에서 도와준 사랑하는 아내와 두 아들 내외, 그리고 사랑과 경험을 나누어 주신 모든 친지들에게 감사를 드린다. 특히 이 책을 편집, 교정, 출판해주신 생명의말씀사에 깊은 사의를 표한다.

강영우

가족과 함께 이룬 나의 꿈

강 진 석

의학박사

듀크대학병원 안과 전공의

나는 아버지의 목말을 타고 피츠버그 거리를 안내하던 일을 아직도 기억한다. 나는 아버지의 어깨 위에 앉아 신호등이 파란 색으로 바뀌면 길을 건너도 된다고 말해 주었다. 우리는 함께 복잡한 시내를 다녔고, 목적지에 도착하면 아버지는 언제나 안전하게 인도해 줘서 고맙다는 말씀을 하셨다.

아버지가 앞을 보지 못한다는 것을 안 것은 훨씬 더 어릴 때였지만 실명의 고통과 불편을 이해하기 시작한 것은 5살 때였다. 그때 나는 아무것도 모르는 어린아이였으나 아버지의 아픔에 동참하는 마음이 생겨, 나중에 안과 의사가 되어 아버지의 눈을 고쳐드리고 싶었다.

세월이 흐르면서 이 순수하고 진심에서 우러나온 결심은 내 인생의 방향과 목적이 되었다.

나는 필립스 엑서터 아카데미에서 고교 시절을 보냈다. 여름 방학에는 대학 영재 프로그램에 참여하여 공부했는데 그때도 의사가 되는 데 도움이 되는 과목을 택해 실력을 길렀다. 하버드대학에 진학해서도 다른 의사 지망생들과 함께 의예과 공부를 했다. 그러나 다른 학생들과는 달리 안과 의사가 된다는 분명한 목적이 있었기 때문에 여름 방학 기간 중에는 하버드대학병원의 안과에서 연구 조교로 일하며 경력을 쌓았다.

"비록 아버지의 눈을 고쳐드릴 수는 없지만 다른 많은 시각장애인들을 치료하여 빛을 찾도록 도와줄 수 있어 매우 기쁘고 감사하다."

뿐만 아니라 안과학 교수와 함께 아버지처럼 시각 장애를 가지고 있는 사람들을 돕는 회사인 K. & C. OPTECH를 창립하기도 했다. 이 회사는 시각 장애인들이 컴퓨터를 최대로 활용하여 교육, 재활 및 삶의 질을 향상시키는 방법을 전문적으로 연구 개발하고 컨설팅하는 곳이다. 나는 아버지와의 경험을 토대로 시각 장애인 보조 공학 기구를 개발하여 학회에 발표를 하는 등 안과세에서 두각을 나타내기 시작했다.

인디애나에서 의학 공부를 하는 동안에도 이런 노력들은 계속되었다. 기초 의학에서 요구하는 것 외에도 개인적인 연구를 통해 안과학에 대한 관심을 계속 추구해, 안과학 전문의 모임에서 두 개의 논문을 발표하기도 했다. 이러한 경험과 노력의 결과, 듀크대학에서 일하게 되었고, 현재 안과 전공의 과정 중에 있다.

안과학은 수술의 정밀도, 지속적인 환자 관리, 상세한 관찰의 중요성과 진보한 기술 때문에 매력적이다. 많이 힘들기도 하지만, 어린 시절부터 키워온 눈먼 아버지를 돕고자 했던 바람에 대한 보상으로 느껴진다. 아버지는 치료할 수 없지만, 아버지처럼 다른 사람들을 도울 수 있다는 생각에 흥분되고 동기 부여를 받게 되는 것이다.

수술의 정밀도와 관련 어린 시절 어머니의 교육도 크게 도움이 되고 있다. 어머니는 바느질, 재봉틀 사용하는 법 등을 가르쳐 주셨을 뿐 아니라 정원을 가꾸고 집안을 수리하는 일도 거들게 하셨다. 그래서 그런지 손재주가 많다는 말을 자주 듣는다.

하버드대학 시절에는 내 머리를 내가 깎았을 뿐만 아니라 동료 학생들의 머리를 깎아 용돈을 벌어 쓰기도 했다. 미생물학 시간에는 아주 작은 물고기를 해부하는데 반에서 가장 잘해 담당 교수로부터 장차 정밀한 수술을 잘하는 의사가 될 것이라는 칭찬을 받았다. 그날 저녁 어머니에게 전화를 걸어 어머니 교육 덕분이라고 말씀드렸다.

또한 어머니는 평생동안 헌신적인 사랑으로 시각 장애인인 아버지를 내조하셨다. 이는 긍휼히 여기는 마음으로 환자들을 인격 대 인격으로 대하는 본이 되었다.

부모님은 내 인생에서 정말 중요한 분들이다. 특히 아버지와의 친밀한 관계를 통해 환자들을 대하는 관점과 통찰력을 얻고 있다. 안과 의사라는 직업은 부자 관계를 더욱 깊어지게 해줄 것이다.

나도 이제는 산부인과 의사인 아내를 맞아 새로운 가정을 이루었다. 부모님께서 보여 주신 감동적이고 성공적인 인생의 교훈을 토대로 우리도 행복한 가정을 꾸미고, 의술을 통해 주어진 시대적 사명을 다할 것을 다짐해 본다.

강 진 영

법학박사

미 연방 상원 법사위원회 고문 변호사

나는 듀크법학전문대학원을 졸업한 후 상원 법사위원회에서 일리노이주 상원의원 리처드 더빈(Richard Durbin)의 고문 변호사로 일하고 있다. 범죄, 마약, 무기, 민권과 형사법 관련 문제, 노동 문제 등에 대해 다루고 있는데, 아내는 이 일이 나에게 잘 어울린다고 했다. 나 역시 그렇게 생각한다. 그러나 가족의 지지와 영향력이 없었다면 결코 여기까지 이르지 못했을 것이다.

아버지는 내 인생에 큰 영향을 끼쳤는데, 특히 그 열정과 사회 정의에 대한 의식의 영향을 가장 많이 받았다. 나는 아버지가 주변 사람들뿐만 아니라 한번도 만나 보지 못한 사람들의 삶에까지 영향력을 미치는 것을 보고 자라면서, 어린 나이였지만 나도 그런 영향력을 미치는 사람이 되고 싶다고 결심했다.

몇 년 동안 대통령, 교수, 종교 지도자 등 유명한 사람들에게 보내는 아버지의 편지를 대필한 것이 수백 통은 되는 것 같다. 주로 장애인들의 삶을 향상시키기 위한 내용이었다. 장애인들을 위한 더 좋은 기회와 평등을 추구하는 아버지의 노력은 내가 모든 미국인들을 위해 똑같은 것을 추구하도록 고무하였고, 아버지의 확고한 열정과 결단력은 지속적인 자극제 역할을 하여 나는 매일매일 아버지의 열심을 따라가려고 노력했다.

물론 고등학교에서 국회 의사당에 이르기까지 줄곧 한 길만을 걸어온 것은 아니다. 자라면서 나는 어머니가 아버지를 돕고 시각 장애아들을 가르치는 일에 헌신하는 모습 역시 지켜보았다. 나는 어머니의 그 따뜻한 정과 동정심을 물려받았다. 그래서 대학 재학 중에 시카고 빈민가에서 초등학교 학생들을 위한 읽기 프로그램을 지도했고, 대학 내에 지역사회 봉사 센터를 창립, 소장으로 있으면서 저소득층 고등학생들을 위한 대입 준비 프로그램에서 수학을 가르쳤다. 그 일로 인해 차세대 지도자상을 받기도 했다.

자주 말하진 않지만, 형 또한 멋진 역할 모델이 되어 주었고, 나의 삶을 잘 이끌어 주었다. 늘 새로운 시도를 하며 모든 면에서 탁월함을 추구하고 이루는 형의 모습은 훨씬 더 다양한 면을 갖춘 내가 되는 데 자극제가 되었다. 예를 들면 형이 학교 오케스트라에서 바이올린을 연주하는 것에 자극을 받아, 재즈 밴드에서 바리톤 색소폰을 연주했고, 야구와 농구를 잘하는 형을 보면서 장거리 달리기, 마라톤 경기 등을 시작하기도 했다. 이런 과외활동으로 인해, 탁월한 리더십을 나타내고 학교 생활에 기여한 12명의 동문에게 주는 하웰 머레이 상을 받았다.

봉사활동으로 인해 학업 성적이 그리 좋지 못했을 때도 형의 도움을 많이 받았다. 또한 듀크법학전문대학원을 나와 국회의 취직 자리를 기다릴 때에도, 다른 사람들은 모두 법률 회사에 취직하라고 했지만 형은 자리가 날 때까지 느긋하게 기다리라고 격려해 주었다. 아마 형이 아니었다면 지금 이 자리에 없었을지도 모른다.

많은 사람들이 왜 국회를 선택했느냐고 묻는다. 대부분의 사람들은 내가 언젠가 공직에 나갈 것이라고 생각한다. 아마 그럴지도 모른다. 그리고 물론 지금의 경험은 그때 도움이 될 것이다. 그러나 그것은 내가 정부에서 일하기로 한 주된 이유가 아니다. 아마 5위 안에도 들지 못할 것이다.

내가 정부를 택한 이유는, 부모님의 삶을 통해 가장 많은 사람들에게 가장 큰 영향력을 미치는 정부의 힘과 능력을 보았기 때문이다. 아버지는 한국 정부를 설득시켜 장애인들에게 닫혀 있던 많은 문들을 열어 주었고, 기본 방침들이 변화되자 다른 일들도 이루어질 수 있었다. 이러한 교훈들을 지침으로 삼아, 나는 시카고대학에서 학생 대표 이사로도 봉사했다. 또한 상원의원 에드워드 케네디 밑에서 일하기도 했다. 그리고 지금 다시 국회로 돌아왔다.

가족이 내 인생에 미친 영향력들에 대해 쓰다 보니, 최근에 들어온 새 식구 이야기를 하지 않을 수 없다. 나는 결혼한 지 3달이 좀 넘었다. 아내 엘리자베스는 매일매일 놀라운 균형을 유지해 나가는데, 나의 있는 그대로의 모습을 사랑하면서도 항상 더 나은 사람이 되도록 도전을 준다. 그녀의 사랑과 지지와 격려는 가족이 놓아 준 기초 위에서 내가 앞으로 성취할 모든 일들의 기반이 될 것이다.

나는 항상 하고 싶어하던 일, 그래서 나에게 잘 맞는 일을 하고 있다. 나는 미연방 상원에서 나라를 위해 일하는 것이 자랑스럽다. 국회의사당에서, 워싱턴 기념탑과 링컨 기념관의 그늘 아래서 일한다는 것은 경외심을 일으킨다. 여기서 일한 지 1년이 좀 안 되었는데, 진정으로 의미 있는 기여를 하기 위해서는 아직 배울 것이 많다. 그러나 내 가족이 있는 한, 그것은 시간문제일 것이다.

Contents

Contents

제2부 정상을 꿈꾸는 이들에게

George W. Bush

President of the United States of America,

To all who shall see these presents, Greeting:

Know ye, that reposing special trust and confidence in the Integrity and Ability of Young Woo Kang, of Indiana, I have nominated, and, by and with the advice and consent of the Senate, do appoint him a Member of the National Council on Disability for a term expiring September 17, 2003, and do authorize and empower him to execute and fulfil the duties of that Office according to law, and to have and to hold the said Office, with all the powers, privileges and emoluments thereunto of right appertaining, unto him the said Young Woo Kang, subject to the conditions prescribed by law.

In testimony whereof, I have caused these Letters to be made Patent, and the Seal of the United States to be hereunto affixed.

Done at the City of Washington this twenty-ninth day of July, in the year of our Lord two thousand two and of the Independence of the United States of America the two hundred and twenty-seventh.

By the President:

Secretary of State

부시 행정부 백악관 소속 국가장애위원회 임명장

1부

벼랑 끝에서 백악관까지

자존감이 조금씩 회복되면서 그동안 원망하고 두려워했던 하나님은 시련과 역경도 기회와 축복으로 바꾸시는 사랑의 하나님이시라는 것을 깨닫기 시작했다. ……내 비록 육신의 빛은 잃었고 가진 것은 없지만 하나님의 형상대로 지음받은 존귀한 생명이라 생각하니 인간으로서 자부심과 자긍심이 느껴졌다.

In honor of

President George Walker Bush

and

Vice President Richard Bruce Cheney

The Presidential Inaugural Committee

requests the honor of your presence at

The Presidential Inaugural Parade

Saturday, the twentieth of January

two thousand and one

at one-thirty o'clock in the afte

in the City of Washington

▲ 초청장

2001년 1월 20일 43대 부시 대통령 취임식에

초청받아 아내와 함께 참석했다.

정상에 올라

미국에서 아세아 소수 민족이 연방정부 고위 공직자가 된 것은 최근의 일이다. 10년 전 부시 전 대통령 행정부에서 시작되었기 때문이다. 그는 미국 역사상 최초로 대통령이 임명하고 상원인준을 요하는 연방정부 최고 공직 500석 중 6석을 아세아 소수 민족으로 채워서 주목을 받았었다. 아마도 초대 중국 대사, 유엔 대사, 중앙정보부 부장 등 요직을 거쳐 부통령이 되고 대통령이 되는 동안 아세아 문화와 아세아 소수 민족의 우수성과 공로를 잘 알게 된 결과로 생각된다. 아세아 소수 민족에 대한 배려는 그뿐이 아니었다.

1990년에는 그동안 대통령령으로 5월 한 주간을 아세아 문화유산 주간으로 지켜오던 것을 5월 한달로 연장시켰다. 그 후 2년 뒤인 1992년 10월 23일에는 의회를 통과한 공법 102-453에 서명함으로 그 후 매년 백악관 아세아 문화유산 행사를 가지게 되었다.

부시 대통령을 계승했던 클린턴 대통령은 그 정신을 이어받아 1997년에 대통령령으로 15명의 자문위원으로 구성된 아세아 태평양 소수 민족을 위한 백악관 자문위원회를 만들었다. 그리고 재임 8년 동안 대통령 임명을 받아 연방 상원인준을 받는 최고 공직자로 아세아계 8명을 지명했다. 그중 일본계로 산호제 시장을 거쳐 20년간 연방 하원 의원 경력을 가졌던 노먼 미네타를 상무장관으로 임명하니 동양계 최초 장관이 된 셈이었다.

미국 연방정부 공무원은 450만에 달한다. 그중 2,500명을 대통령이 임명하고, 그 2,500명 중 500명은 다시 상원인준을 받는데 소위 말하는 최고 연방정부 공직자이다. 현 부시 행정부에서는 최고 공직자 500명 중 17명을 아세아계 소수 민족을 세워 기록을 세우게 되었다. 그중에는 중국계 여성 일레인 차오가 노동장관으로, 일본계 전 상무장관이 교통장관으로 기용되어 장관이 2명 포함되어 있다. 한국계로는 내가 차관보급 최고 공직자 중 하나이다. 이것은 기적이다.

2002년 5월 17일에는 백악관에서 아세아 문화유산의 달 행사가 있었다. 아세아계 대통령 임명자들과 각계 아세아계 지도자 150명 정도가 초대되었다. 그동안 여러 차례 백악관에 초대되었고 루스벨트 기념관 제막식 만찬회에서는 연설을 하는 영광도 누렸다. 물론 현 부시

중국계인 일레인 차오는 아세아계로서는 최고위직인 노동장관에 임명되었다.

대통령 초청으로 오기도 했다. 그러나 이번에 느끼는 감회는 특별했다. 그것은 나도 대통령 임명을 받아 상원인준을 받는 최고 공직자 대열에 당당히 끼었다는 자부심과 자긍심 때문이었다.

이러한 순간이 오리라고는 상상도 못했다. 20세기 가장 위대한 종교인으로 추앙받는 노만 빈센트 필 박사가 하신 "강 박사의 생애를 알고 하나님의 존재를 부인할 사람은 아무도 없을 것입니다."라는 말씀이 실감나는 순간이었다. 불가능을 가능하게 하시는 하나님의 역사가 아닌 인간의 노력이나 힘으로는 불가능한 일이기 때문이었다.

클린턴 행정부에도 한국계 차관보 한 분이 있었다. 그러나 그분은 영어를 모국어로 하는 한국계 2세였다. 그러나 나는 나이 30세가 다 되어 아내와 함께 유학을 온 것이기 때문에 발음이 투박할 뿐 아니라, 40세에 귀화한 이민 1세인 것이다.

그날 오후 3시에 시작한 다채로운 행사는 1시간 정도 진행되어 4시경 끝나게 되었다. 그런데 행사가 끝나고 대통령께서 퇴장하시다가 나를 보시더니 얼굴이 맞닿을 정도로 끌어안으며 반가워하셨고, 곁에 서 있는 아내에게도 악수를 두 번씩이나 하셨다.

그 자리에 서서 다정하게 대통령과 잠시 대화를 나누면서, "이런 영광스런 자리에서 다시 뵙게 되어 매우 기쁩니다. 고위 공직자로 국가장애위원회에서 봉사할 수 있도록 선처해 주신 점 정말 감사합니다. 그리고 12년 전 부친께 드렸던 제 자서전을 한 권 드리고 싶습니다. 이 책으로 인해 맺어진 부시 가문과의 인연이 2대를 가게 되었습니다."라고 했다. 그랬더니 대통령께서는 "더할 나위 없는 선물입니다. 제가 가지고 가겠습니다."라고 하셨다.

나는 한 가지 더 드리고 싶은 것이 있다고 했다. "부친께서 제 두 아들 결혼식에 애정 어린 축하 메시지를 보내 주셨는데 그 편지 사본을 드리고 싶습니다." 그랬더니 이번에는 두번이나 연달아 "퍼펙트"(Perfect!)라고 하시며 가지고 가셨다.

이에 앞서 나는 2002년 4월 27일 아세아 소수 민족의 입지와 위상을 향상시킨 공로로 아세아 아메리칸 동맹(Asian American Alliance)에서 2002년 공로패를 수상했다. 시상식은 인디애나폴리스 소재 웨스턴 호텔에서 열린 아세아 아메리칸 동맹 연차대회에서 550명의 지도층 인사들이 모인 가운데 있었다.

백악관을 대표해서 나온 에드 모이 대통령 특보 겸 백악관 인사

대통령 특보 겸 백악관 인사 부국장 에드 모이가 아세아 아메리칸 동맹 2002년 공로패를 전달하고 있다.

[에드 모이]

부국장은 공로패를 전달한 후 축사에서 "백악관 인사위원회에서 오랜 시간에 걸쳐 이력서, 추천서, 인터뷰 결과를 분석하고 FBI의 철저한 배경조사를 하게 한 후 강영우 박사를 대통령께 추천했더니 열정을 가지고 흔쾌히 결재하셨습니다."라고 했다. 나는 그 말 가운데 "열정"(Enthusiasm)이란 단어에 귀를 기울였다.

2001년 2월 1일, 부시 대통령이 취임한 지 12일 만에 아내와 함께 백악관에 초청되었을 때는 가볍게 어깨동무를 해주셨을 뿐이었다. 그런데 이번에는 따뜻한 체온을 느낄 수 있도록 껴안아 주시니 에드 모이 특보가 한달 전 공로패 시상식에서 열정을 가지고 흔쾌히 승인하셨다고 한 말이 다시 생각나 감격스럽기 그지없었다.

그런 극적인 순간이 있은 지 두 주 후, 또 한번 깜짝 놀랄 일이 있었다. 대통령께서 내 영문 자서전 빛은 내 가슴에(*A Light in my Heart*)를 받으신 후 친서로 감사편지를 보내신 것이었다.

나는 지난 10년 동안 한국과 미국 각각 세 분

역대 대통령과, 지난 7년 동안 유엔본부에서 루스벨트 국제 장애인상을 수상한 정상들을 만날 수 있었기 때문에 모두 13명의 대통령을 만날 수 있었다. 그러나 대통령의 친서를 받기는 부시 전 대통령에 이어 이번이 두 번째였다. 그러니까 대통령 친서를 받는 것이 직접 만나 면담을 하는 것보다 더 어렵다는 말이다. 그것은 청와대나 백악관 직무가 세분화되고 이에 따라서 각각 다른 비서관들이 있어 그들이 대신 답신을 하기 때문이다. 대통령과 영부인이 직접 쓰는 경우는 크리스마스 카드뿐이었다.

부시 부자 대통령으로부터 받은 친서는 공교롭게도 12년 간격을 두고 내가 드린 똑같은 책에 대한 짤막한 감사의 서신이었다. 그것은 결코 우연이 아니다. 아버지 부시 대통령 말을 그대로 옮겨 보겠다.

> "언어와 문화를 초월해 존재할 수 있는 인간의 고귀한 가치, 즉 신앙, 의지, 결심, 긍휼 등이 반영되어 있어 장애인이든 비장애인이든 수많은 사람들에게 감동을 줍니다."

2002년 2월 26일은 결혼 30주년 되는 날이었다. 우리 부부는 결혼한 지 반년도 못 되어 가슴에 부푼 꿈을 안고 도미 유학을 떠나왔다. 1972년에서 76년까지 4년 동안 피츠버그에서 유학생활을 하는 동안 우리는 두 아들 진석이와 진영이의 부모가 되는 기쁨과 행복을 맛보았다.

진석이는 링컨 대통령의 장남 로버트 타드와 같이 미국 최고 명문고교인 필립스 아카데미 양교 중 엑서터를 거쳐 하버드대를 나왔다. 현재는 안과 전공의로 남부의 하버드라 불리는 듀크대학병원에 근무하고 있으며, 지난 5월 4일 인디애나폴리스 소재 어빙턴 장로교회에서 성스러운 결혼식을 올려 새 가정을 꾸몄다. 신부는 산부인과 전공의로 인디애나대학병원에 근무 중이다.

진영이는 필립스 아카데미 양교 중 앤도버를 나와 부시 대통령 부자와 동문이다. 아들 부시 대통령과는 30년 간격으로 같은 역사 선생님 토머스 라이언에게 배웠다. 토머스 라이언 선생은 부시 대통령 요청으로 대통령 취임식 준비위원회 위원장을 맡기도 했다.

진영이는 노벨상의 왕국이라

아세아 문화유산의 달 행사장에서 현 부시 대통령에게 사서전 빛은 내 가슴에 영문판을 드렸다.

일컫는 시카고대학에서 정치학과 경제학을 전공했다. 노벨경제학상 수상자인 로버트 포겔 교수에게 "기업윤리"를 배웠는데 강의가 너무 지루해서 다시는 노벨상 수상자 강좌를 택하지 않는다는 농담을 하기도 했다. 대학시절 봉사센터를 설립했고 학생대표 재단이사로 왕성한 활동을 해 대통령 차세대 지도자상을 수상하기도 했다. 졸업 후 듀크대 법학전문대학원에서 법학 박사 학위를 받고 일리노이주 변호사 면허를 획득했다. 링컨 대통령이 창립한 일리노이 변호사협회 회원이 되었으니 링컨과 동료가 된 셈이다. 이와 같이 두 아들이 링컨 가문과 관계가 있는 것은 우연이 아니었다. 링컨은 나의 역할모델 중 하나였기 때문이다.

현재 진영이는 일리노이 출신 민주당 딕 더빈 상원의원 입법 보좌관으로 국회의사당에서 근무하고 있다. 또한 지난 6월 15일 26번째 되는 생일에 신랑 · 신부의 모교인 시카고대학 내 본드 채플에서 결혼식을 올려 새 가정을 꾸몄다. 신부는 하버드대 법학전문대학원에서 법학 박사 학위를 받고 역시 일리노이주 변호사 면허를 취득하여 워싱턴에 있는 명문 법률회사인 스텝토 앤드 존슨에 근무하게 되었다.

의학박사 부부인 장남 내외와 법학박사 부부인 차남 내외를 합치면 이제 우리 집안에는 5명의 박사가 있는 셈이다. 아내도 석사학위를 지닌 종신교사다. 진석이 결혼식 하객 중에는 수십 명의 젊은 의사들이 있었고, 진영이 결혼식에는 수십 명의 젊은 변호사들이 있었다. 전문직을 가지고 이미 사회지도층 인사가 된 두 아들과 그 친구들을 바라보면서 세계적인 부흥강사인 로버트 슐러 박사의 "능력의 시간"에 초대되어 들은 말이 생각났다.

> "절망의 늪 속에서도 결코 포기하지 않고 분명한 인생의 목표와 적극적인 신앙을 갖고 계속 정진하여 오늘날 성취자로서 세상에 우뚝 서게 되었습니다."

그렇다. 인생의 캄캄한 어둠 속에서 품었던 명문가 건설의 꿈이 당대에 이루어진 것이다.

두 아들 결혼식 때 세계를 움직이는 많은 지도층 인사들이 애정 어린 축하 메시지를 보내 주었다. 두 아들을 개인적으로 만나 아시는 부시 전 대통령은 "……57년 동안의

부시 전 대통령이 둘째 아들 진영의 결혼식 때 보내준 축하 메시지

GEORGE BUSH

April 30, 2002

Dear Elizabeth and Christopher,

June 15, 2002, will be the most special day of your lives. Barbara and I congratulate you on your upcoming marriage and we wish you great happiness and joy.

Barbara and I celebrated our 57th wedding anniversary in January. Having been married all those years, we can tell you that if you share and think of each other first, your life together will only get better and better.

Warm best wishes for marriage filled with many blessings.

Sincerely,

Ms. Elizabeth Liu
Mr. Christopher David Kang

P. O. BOX 79798 · HOUSTON, TEXAS 77279-9798
PHONE (713) 686-1188 · FAX (713) 683-0801

결혼생활에서 배운 교훈은 상대방을 먼저 생각해 주고 먼저 나누면 더욱더 행복해진다는 것이다."라고 충고하셨다.

조지 미첼 전 민주당 상원 원내총무는 "……성공하는 것으로 만족하지 말고 항상 더 좋은 세상을 만드는 꿈을 간직하고 사십시오."라고 했다.

조지 미첼 전 민주당 상원 원내총무는 이민자의 아들로서 부친은 청소원이었고 모친은 영어를 읽을 줄도 몰랐다고 한다. 그럼에도 불구하고 변호사, 판사를 거쳐 주 검찰총장도 역임하고, 연방 상원의원으로 다수당 원내총무로 국가 이인자의 자리에까지 올랐던 분이다. 그 외에도 딕 손버그 전 법무장관, 제임스 레이니 전 주한대사, 벤덴휘벨 전 유엔 대사 등 미국 거물급 인사 다수가 신혼부부들이 평생 마음에 새겨야 할 애정 어린 메시지를 보내 주셨다.

구본술 박사 가정과는 소년 시절 안과의사와 환자로 맺어진 인연이 40년 이상 지속되어 2대, 3대로 이어지고 있다. 이번에 한국에서는 유일하게 인하대 구윤모 박사 일가족이 결혼식에 참석했다. 43년 전 나의 안과의사이셨던 구본술 박사의 둘째 아들이다. 구본술 박사는 아들 편에 결혼축의금까지 보내주시어 더욱 감동했다.

LA 동양선교교회 임동선 목사님과 대전 대흥침례교회 안종만 목사님 등 27명의 목사님들이 축하 메시지와 선물을 보내시어 축복해 주셨다. 진석이 결혼식에는 9명의 목사님, 진영이 결혼식에는 7명의 목사님들이 참석하셔서 더욱 복된 결혼식이 될 수 있었다.

모교인 연세대 김우식 총장님과 연세대 동기 동창인 한양대 김종량 총장 등 한국 사회 지도층 인사들도 축전으로 동참해 주시어 감사했다. 이와 같이 국내외적으로 여러 분들이 축복해 주시고 기도해 주신 덕분에 진석이와 진영이 결혼식 날은 날씨도 좋았고 기온도 이상적이었다.

무엇보다 우리 부부는 아들 둘만 길렀는데 좋은 며느리들이 들어와 사랑스런 두 딸이 생긴 셈이다. 큰아들이 결혼식을 하고 일주일만에 아내는 2002년 어머니날을 맞게 되었다.

큰며느리가 보낸 어머니날 카드에는 "저를 친딸처럼 사랑해 주시고 귀여워해 주시며

2002년 초에
며느리들과 함께
가족사진을 찍었다.

강씨 가문의 일원으로 환영해 주셔서 뜨거운 감사를 드립니다."라고 쓰여 있었다.

2002년 아버지날은 6월 16일이어서 진영이 결혼식 바로 다음날이었다. 그래서 진영이 부부는 아버지날 3일 전에 미리 우리 부부를 식당에 초대하여 축하를 해주고 아버지날에는 전화만 걸었다. 그런데 그 때 식당에서 미리 준 아버지날 카드에 적은 말을 그대로 들려주어서 참으로 감동적이었다.

"훌륭한 아들을 양육해 주셔서 감사드립니다. 크리스는 더할 나위 없는 완전한 남성입니다. 강씨 가문의 일원이 된 것을 영광으로 생각합니다."

큰며느리의 친정아버지는 중소기업 경영인이고, 어머니는 공인회계사이며, 오빠는 고등학교 교사이다. 양친이 형제자매가 많아 사촌들이 많은데 그 때문인지 아니면 산부인과를 택한 인간성 탓인지 자녀를 네 명 낳아 양육하겠다고 한다.

작은 며느리의 친정아버지는 교육학박사로 미네소타대 고등교육 교수이다. 어머니 역시 교육학박사로 근처 전문대 도서관 행정을 맡고 있다. 하나 있는 여동생은 코넬대에서 정치학을 전공하는 학생이다. 작은 며느리는 남매를 낳아 양육하고 싶다고 한다.

시간의 흐름의 한 지점인 40년 전 마음씨 고운 한 여대생을 만나

숙명적인 인연을 맺고, 그 후 10년 동안 의남매에서 약혼자로 자리바꿈을 했다가 1972년 2월 26일 결혼식을 하고 부부로 30년을 살았다. 이제 노년에 접어들어 두 아들의 결혼을 지켜보는 감회는 남다른 것이었다. 우리 부부가 30년 전 가슴에 품었던 보다 밝은 미래와 자녀교육에 대한 똑같은 꿈을 신혼 생활을 시작하는 아들 부부들도 갖고 있다는 것이 신기하기도 했다.

그렇다면 그러한 놀라운 꿈을 이룬 인생 선배로서, 많은 사람들의 존경과 사랑을 받는 교육가로서, 두 아들 부부를 포함한 신세대 젊은이들에게 무엇을 줄 수 있을까? 이 생각이 이 책을 쓰게 된 동기가 되었다.

또한 나에게 새로운 비전과 믿음이 생기게 되었다. 그것은 아들 세대가 앞으로 30년 후에 다시 구세대가 되어 신세대를 향해 그들의 놀라운 꿈을 성취한 경험과 지식을 전승해 주리라는 확신과 희망이었다.

나의 생애에도 전신마비 장애인이 침상에서 일어나 누워 있던 침상을 들고 걸어나가는 기적 같은 일들이 발생했다.

맹인이 되어 문자생활은 불가능하다고 생각했던 내가 베스트셀러 작가가 되었다. 아침에 장님을 보면 재수가 없다는 미신 때문에 천대와 멸시를 받아야만 했던 내가 사회 저명인사가 되어 미국명사인명사전과 세계명사인명사전에 수록되었다. 맹인이 되어 공장 직공도 될 수 없는 운명에 처했다고 믿었던 내가 세계화를 주도하는 미국 연방정부 최고 공직자 중 하나가 되었다.

배고픔을 면할 수 있는 부를 달라고 간절히 기도했던 내가 세계 6억에 달하는 장애인들의 열정적인 대변자로 유엔을 무대로 활동하게 되었다. 나의 실명이 두 아들의 양육에 부정적인 영향을 미치지 않게 해달라고 기도했는데 오히려 나의 약점 때문에 진석이는 안과의사가 되는 꿈을 이루었고 진영이는 변호사로 연방 상원에서 입법 보좌관이 되었다고 고백하고 있다.

이러한 기적 같은 일들은 전신마비 장애인이 일어나 걷는 기적과 비교할 만하다. 마가복음에 나오는 중풍병자에게 숭고한 믿음이 있어 그러한 기적이 가능했듯이 나에게도 인간의 고귀한 가치로 불리는 신앙, 의지, 인내 등이 있었다. 그러나 그것만으로는 충분하지 않다. 전신마비 장애인을 이동시켜 준 네 친구가 있었듯이 나에게도 그때그때 필요를 충족시켜 준 많은 친구들이 있었기에 내 생애에서 그러한 기적 같은 일이 가능했던 것이다.

도전정신과 자존감 회복

십대 소년 시절 나는 너무나 많은 것을 잃었다. 외상에 의한 망막박리로 시력을 잃고 거듭되는 불행으로 양친과 누나마저 잃었다. 그러나 그것보다 더 큰 상실은 내적인 것이었다. 어린 시절 누렸던 행복, 하나님에 대한 신뢰, 자존감, 삶의 의욕과 인생에 대한 도전정신을 송두리째 잃어버린 것이다.

나는 경기도 양평군 서종면 문호리에서 1944년 1월 16일에 태어났다. 모태교인으로 태어나 유아세례를 받고 기독교 문화 속에서 행복한 어린 시절을 보냈다. 특히 한국동란을 전후해서 원산신학교 교수를 하시다 북한 공산정권 통치를 피해 남한으로 내려오셨던 차보은 선생님이 함께 살면서 기독교 가치관을 가르쳐 주셨기에 믿음의 뿌리가 제대로 내려 행복한 아동기를 보낼 수 있었다.

그러나 1957년에서 61년까지 4년 동안 거듭되는 불행을 겪는 동안 하나님에 대한 신뢰에서 미래에 대한 희망까지 모두 상실하여 인생 자체에 등을 돌리고만 싶어졌다.

그러던 1961년 어느 날 국립의료원 사회사업가 이선희 선생님이 당시 공병우 박사께서 사재로 운영하시던 맹인재활센터에 데리고 가 입소시켰다. 건국대 야간에 재학하고 있는 전재경 맹인 대학생이 유일한 교사로 근무하고 있었다.

그곳에서 나는 점자와 한글타자기를 배우기 시작했다. 한글타자기를 배우면서 맹인도 문자생활을 하는 것이 불가능한 것은 아니라는 것을 알게 되었고, 전재경 선생님을 보면서 맹인도 대학에 진학할 수 있다는 새로운 가능성을 보았다.

맹인재활센터에서 기초 재활과정을 마친 후 이선희 선생님의 도움으로 서울맹학교 중등부에 입학했다. 그런데 학비를 조달해 주시던 선생님이 미국 최대 장애인복지기관인 굿윌 인더스트리에서 교육을 받기 위해 미국으로 떠나시게 되었다. 그리고 1963년 10월까지 소식이 없다가 서울맹학교로 편지 한통을 보내셨다. 내 학비를 대주실 후견인을 소개하는 내용이었는데 "너처럼 불행에서 낙망하고 낙오된 사람들의 위로와 모범이 되어라."라는 말이 가슴에 와 닿았다.

이선희 선생님이 도미한 후 얼마 되지도 않는 등록금을 낼 길이 막막했는데, 권순귀 선생님이 지도하는 걸스카우트 지도자 훈련과정에 속한 여대생들이 모아 주기도 하고 학생들에게 매번 모으기도 어려워 권 선생님이 봉급에서 내주시기도 했다.

그러한 생활을 하다 보니 맹인도 대학에 진학할 수 있다는 가능성은 보았지만 그러한 가능성에 도전한다는 것은 분수에 맞지 않는다고 생각되었고, 학비를 남에게 조달받고 있는 동안 남에게 짐이나 되는 무용지물이라는 생각이 자꾸 들어 자신감과 자존감이 바닥에까지 떨어져 있을 때였다. 때문에 그 편지는 나에게 새로운 희망과 용기를 주었을 뿐만 아니라 나도 불행으로 낙망하고 낙오된 사람들의 위로와 모범이 될 수 있다는 자신감과 사명감을 느끼게 해 주었다.

맹인이 된 후 첫 번째 인간 천사가 되어준 이선희 선생님을 30년 만에 LA에서 다시 만났다.

아들이 맹인이 된다는 실명선고에 충격을 받고 어머니가 소천한 지 3년 만에 미국인 양부모를 얻게 된 것이

"태도는 학습되며 태도는 지능보다
성공에 더 큰 영향을 미친다!"

었다. 아버지는 LA 굿윌 인더스트리 섭외부장이셨고 어머니는 중학교 교사셨는데, 그때부터 시작해서 내가 연세대를 졸업하고 도미 유학을 떠날 때까지 학비와 생활비를 책임져 주셨다. 그분들의 사랑과 도움은 물질적인 것 이상이었다. 대학 진학과 도미 유학도 현실적으로 가능할 수 있다는 생각이 들어 구체적인 목적과 계획을 세우고 밝은 미래를 향해 정진할 수 있었기 때문이었다.

아내는 나보다 1년 연상이지만 중학생과 대학생으로 만났기 때문에 하늘과 땅 차이로 느껴졌다. 볼 수 있을 때의 친구들도 마찬가지였다. 내가 병원에서 투병생활을 하고, 실명선고를 받고 방황의 세월을 보내고, 맹인재활센터에서 기초재활훈련을 받는 동안 친구들은 이미 대학생이 되었는데 나는 맹학교 중등부에서 다시 인생을 시작하게 되었으니 열등감, 패배감, 실패감 등으로 가득 차 있어 믿음을 가지고 불투명한 미래에 도전한다는 것이 그리 쉬운 일은 아니었다.

그러나 그때 자존감이 조금씩 회복되면서 그동안 내가 원망하고 두려워했던 하나님은 시련과 역경도 기회와 축복으로 바꾸시는 사랑의 하나님이시라는 것을 깨닫기 시작했다. 그래서 인생의 바닥에 떨어지고 인생 5년 지각생이 되었지만 내 생명 다하는 날까지 내게 주신 능력과 재능을 최대로 개발하여 사회에 필요한 인재가 되리라는 생각을 하게 된 것이다. 내 비록 육신의 빛은 잃었고 가진 것은 없지만 하나님의 형상대로 지음받은 존귀한 생명이라 생각하니 인간으로서 자부심과 자긍심이 느껴졌다.

자존감 회복에서 한 걸음 더 나아가 나의 실명을 장애가 아닌 긍정적인 자산으로 간주하게 된 것은 기독교방송 인생 상담 프로그램을 맡았던 반병섭 목사님의 도움이 컸다. 목사님의 지도로 육신의 가시로 찌르는 듯한 고통을 주는 불치의 병을 가졌던 사도 바울을 만나 역할모델을 삼게 되었던 것이다. 사도 바울도 불치의 병을 가졌었고 육신의 가시를 제거해 달라고 3번이나 기도했으나 응답받지 못한 것은 크게 위로가 되었다. 또한 훗날 실명에도 불구하고가 아니라 실명을 통해 기적 같은 일이 일어나는 것을 깨닫게 되어 약점을 긍정적인 자산으로 생각하는 태도를 배우게 되었다.

실명의 고통과 좌절을 통해 나는 편견과 차별 없는 아름다운 세상을 만드는 사명과 꿈을 가지게 되었고 확신을 가지고 불가능에 도전하게 되었다. 불평하고 원망하고 탄식할 상황에서 감사할 조건을 찾았던 바울을 모델로 약한 것들을 기뻐하고 자랑하니 열등감이 사라지고 자존감이 되살아날 뿐만 아니라 새로운 세상이 환히 보이는 것 같았다.

이렇게 형성된 긍정적인 태도, 적극적인 사고와 도전정신을 가지고, 명문대 진학과 도미 유학의 목표를 정한 후 비교 경쟁하지 않고 열심히 공부했다. 그러니까 집중력이 개발되고 시간 관리 능력이 생겨 학습 성과가 클 뿐만 아니라 비교 경쟁으로 생기는 불필요한 열등감, 패배의식, 불안감, 위축감을 피하고 오로지 성취감을 느낄 수 있었다.

그리고 1968년 3월 연세대 문과대 교육학과에 우수한 성적으로 당당히 입학했다. 장애인들에 대한 편견과 차별 없는 아름다운 세상을 만드는 꿈을 향한 거보를 내딛었을 뿐 아니라 대학 진학이라는 첫 과정 목적을 달성한 것이었다. 나는 연세인의 자부심과 긍지를 가지고 열심히 공부해서 입학에서 졸업 때까지 장학생 또는 우등생이 되었고 졸업 때는 문과대학 전체 차석을 했다. 뿐만 아니라 1학년 말에 다른 친구 3명과 함께 독서서클인 연세자유교양회를 창립하여 대학시절 봉사 정신과 지도력을 기르는 데 일조했다.

명문가의 꿈

대학 입학시험을 반년쯤 앞두고 있었을 때 그때까지 여러 해 동안 의누나 역할을 하던 아내가 시각장애교육을 연구하기 위해 도미 유학을 떠났다. 그래서 연세대 입학처에서 입학원서 접수를 거절했을 때는 혼자서 그 문제를 해결해야만 했다. 그로 인해 나는 더욱 강인해질 수 있었다.

유익은 그뿐이 아니었다. 미국 선교사의 딸로 세브란스 병원에서 태어나 펜실베이니아 주지사 특별보좌관을 하고 있던 자포스 여사를 만나 나에게 연결해 준 것이었다. 그분이 남편과 함께 서울을 떠난 지 50여 년만에 한국을 방문해서 나를 만나 보시고 능력을 인정, 로터리 7280 지구 파웰 총재에게 추천하여 국제 로터리 재단 장학생으로 도미 유학의 길이 열릴 수 있었다.

또한 태평양을 사이에 두고 1년 반 동안 떨어져 있는 동안 의남매의 사랑이 이성간의 사랑으로 발전하였다.

1972년 2월 26일 나의 은사셨던 윤태림 전 숙명여대 총장 주례로 기독교 회관 강당에서 우리는 성대한 결혼식을 올렸다. 그해 9월 학기에 대학원 공부를 시작하기 위해 피츠버그대에서 입학 허가서와 함께 전액 수업료 장학금도 받았다. 그리고 자포스 여사로부터 소개받은 파웰 총재께서 국제 로터리 재단 장학금을 생활비로 받도록 주선해 주셨다.

그러나 넘어야 할 관문이 또 하나 기다리고 있었다. 문교부에서 주관하는 해외유학시험에 합격해야 하는데 장애가 유학결격조항으로 되어 있는 것이었다. 당시 한미재단 이유상 유학 지도부장께서 연세대 교육과에 출강하여 의논했더니 그 조항을 없애고 나가라고 조언해 주셨다. 바위에 계란을 던지는 것 같아 엄두가 안 났으나 이 박사께서 지시하시는 대로 그 불평등 조항을 없애달라는 청원서에 당시 박태선 연세대 총장 서명을 받아 국제교육과를 거쳐 민관식 문교부장관에게 올렸다. 그리고 드디어 민관식 장관께서 승인함으로 그 조항은 삭제되고 나는 한국 장애인 최초 정규 유학생이 되었다.

안재욱씨와 김혜수씨가 주연한 문화방송 특집극 "눈먼 새의 노래" 에필로그에서 부시 전 대통령이 "……인생에 등을 돌려야 할 절망적인 상황에서도 결코 포기하지 않고 투쟁해서 오늘날 주류사회에 떳떳이 설 자리를 찾았습니다."라고 하신 것은 포기하지 않고 불평등 조항을 투쟁해서 삭제하고 기회의 땅 미국으로 유학을 떠난 대목에서 비롯되었다고 한다.

그해 8월 신혼부부로 가슴에 부푼 꿈을 안고 도미 유학을 떠날 때 아내는 임신 초기였다. 그러니까 아내는 언어와 실명의 이중 장애를 가지고 대학원 공부를 시작한 남편을 내조하면서 임부로 태아를, 엄마로 아기를 기른 셈이다.

그동안 모진 가난과 역경을 극복해 왔기에 그런 정도 고생은 별 거 아니라고 생각하고 공부하면서 아이를 양육하는 것을 낙으로 삼았다. 그러다가 생활비로 지급되던 국제 로터리 재단 장학금 기간이 만료되어 재정적 위기를 맞게 되었다.

착하고 생활력이 강했던 아내는 두 살짜리 진석이를 나에게 맡기고 일자리를 찾아 나섰다. 친지인 안과의사의 도움으로 병원 청소원으로 취직이 되었을 때는 정말 기뻤다. 그러나 그러한 기쁨도 한순간이었

"절망의 늪 속에서도 결코 포기하지 않고 분명한 인생의 목표와 적극적인 신앙을 갖고 계속 정진하여 오늘날 성취자로서 세상에 우뚝 서게 되었습니다."

– 로버트 슐러

다. 유학생 가족은 일할 수 없다는 것이었다. 아내와 함께 이민국장을 찾아가 사정해 보았으나 법에는 예외가 있을 수 없다며 끝내 허락해 주지 않았다.

그 무렵 우리와는 반대로 아내가 맹인이고 남편은 정안인인 가족을 알게 되어 의논했더니 자기 집에 들어와 3층에 살면서 취학 전 아동기에 있는 남매를 돌봐주고 설거지를 해달라고 했다. 그래서 두 살 된 진석이를 데리고 그 집에 들어가 아내가 설거지를 해주고 아이들을 돌봐주는 대가로 세 식구 숙식문제를 해결했다.

그러나 그것은 축복의 기회였다. 남편은 하버드 법대 출신 변호사였고 부인은 하버드 교육대학원 출신 교사인 인텔리 가정이라 미국 문화를 배우고 익히는 데 안성맞춤이었다. 뿐만 아니라 두 살짜리 진석이는 다섯 살짜리 그 집 딸 해더와 입양된 네 살짜리 아들 마틴과 친구가 되어 좋았다.

한편 나는 아버지로서의 새로운 인생을 즐기며 열심히 공부한 보람이 있어 3년 8개월 만에 한국 시각장애인으로는 최초로 박사학위를 받았다. 도미 유학의 꿈이 4년도 안 되어 실현된 것이다. 그 뿐만이 아니었다. 그 기간 중에 교육학 석사와 특수교사 자격증을 취득하고 심리학 석사학위와 재활 카운슬러 자격증을 취득하여 전문인으로서 미국에서 살아갈 수 있는 발판을 마련했다.

이러한 인간 승리는 장애인이든 비장애인이든 수많은 사람들에게 감동과 귀감이 되기 시작했다. 특히 한국 맹인들에게 도전정신을 불어넣어 그 후 10년 후부터는 시각장애인 박사들이 속속 배출되었는데 나의 뒤를 이어 두 번째로 박사가 된 분은 맹인재활센터에서 점자와 한글타자를 가르쳐 준 전재경 선생이었다.

박사 학위를 받고 금의환향하여 대학 강단에서 후진 양성을 하는 것이 나의 계획이었다. 피츠버그대는 여러 분야에서 한국의 거물급 지도층 인사들을 많이 배출했다. 특히 교육학 분야에서 이상주 교육 부총리, 서울대 김신일 교수 등 지도층 인사들이 피츠버그대 출신들이다. 나도 그러한 한국의 지성 엘리트 대열에 당당히 끼었다고 굳게 믿었건만 고국으로 돌아가는 문이 좀처럼 열리지 않았다. 한국 국민들 의식 속에 깊이 뿌리를 내린 장애인에 대한 사회 편견과 차별을 극복하고 교수 자리를 얻는 것은 쉬운 일이 아니었던 것이다.

설상가상으로 학위를 받았으니 장학금으로 지급되던 생활비도 떨어지고 유학비자 기간도 만료되어 정말 막막한 상황에 처하게 되었다. 그런 와중에 그해 6월 15일 진영이가 태어나 식구는 네 식구로 늘어 있었다.

그러나 사랑의 하나님은 더욱 소중한 도구로 사용하시기 위해 고국으로 돌아가는 문을 닫으셨다는 사실을 머지않아 깨닫게 되었다. 박사학위 수여식을 3주 앞둔 1976년 4월 3일이었다. 피츠버그대 크로지어 여사께서 벤두손 재정 부총장, 메이스너 교육대 명예학장, 토릴 아세아 연구 프로그램 디렉터 등 대학 행정가 10여 명과 우리 가족을 초청해 축하파티를 열어 주셨다. 그러나 나는 학위를 받고도 일자리가 마련되지 않아 기분이 가라앉아 있었다.

식사를 마치고 거실에 앉아 차를 마시며 대화하는 중에 화제는 다시 나의 취직 이야기로 돌아갔다. 그때 나는 "내가 맹인이라도 명문가의 아들로 태어났다면 부모님의 도움으로 쉽게 취직이 될 수 있었을 텐데 부모님조차 이승에는 안 계시어 취직이 안 됩니다."라고 했다.

그랬더니 벤두손 부총장께서 "강 박사, 이제 당신은 박사가 되었소. 그리고 저기서 뛰어노는 폴(진석)의 아버지가 되었소. 명문가는 만들어지는 것이오. 이제 조상 탓 그만하고 영특한 아들 폴과 함께 힘을 쓸 수 있는 명문가를 만드시오. 나도 우리 가문에서 처음으로 대학교육을 받은 사람이오. 그러나 돈을 벌어가며 열심히 공부해서 노스웨스턴 법대에서 법학박사 학위도 받고 교수가 되고 피츠버그대 재정담당 부총장까지 되었소."라고 하시는 것이었다.

너무 부끄러워 쥐구멍에라도 숨고 싶었다. 그러나 한편 그런 말을 했기 때문에 나의 생각과 의식을 전환할 수 있는 애정 어린 충고를 들을 수 있어 다행이었다. 나는 그 축하파티에서 처음으로 벤두손 부총장을 만났고 그 이후에는 다시 만날 기회가 없었다. 그러나 그 단 한번의 만남과 조언은 나를 변화시키고 나의 인생을 변화시켜 주었다.

닫힌 문을 너무 오래 쳐다보고 있으면 뒤에 열려 있는 문을 보지 못한다는 헬렌 켈러의 말을 생각하면서 미국에 정착하기로 마음을 굳혔다. 모든 것을 처음부터 새로 시작해야만 했다. 우선 만료된 학생비자 기간을 연장해야 했다. 그래서 메이스너 명예학장의 도움으로 1년간 연구비를 지원받아서 그해 9월 박사 후 과정에 들어가 학생비자를 1년 더 연장받았다. 그리고 미국 교육과 문화의 뿌리가 되는 역사와 철학과 정신을 배우기 위해서 "미국 고등교육사", "교육의 종교적 기초", "민주주의와 교육" 세 강좌를 택하게 되었다. 이 세 강좌는 미국에 정착하고 주류사회에 진출해서 지도층 인사로 성공적인 인생을 살고 두 아들과 함께 명문가의 새로운 꿈을 이루어가는 데 길잡이가 되어 주었다.

"미국 고등교육사" 시간에 명문가 건설에 대한 아주 중요한 어휘를 배우게 되었다. 벤두손 부총장의 애정 어린 조언이 없었던들 그대로 지나쳐 버리고 말았을 어휘였다. 바로 "동북부 기반"(Northeastern Establishment)이란 단어였다.

미국 동북부 지방에는 하버드, 예일, 프린스턴 등 소위 말하는 아이비리그(Ivy League) 명문대학 8개가 모두 위치해 있고 최고 명문고교들로 알려진 뉴잉글랜드 10대 명문대학 준비학교가 소재해 있다. 뿐

Northeastern Establishment

만 아니라 권력의 중심지인 수도 워싱턴이 있고, 세계 경제의 중심지인 뉴욕, 교육과 문화의 발생지인 보스턴과 필라델피아 등도 있다.

그래서 동북부 기반이란, 동북부 지방에 소재한 명문 사학고교를 나와 아이비리그 명문대학을 나오고, 학창시절 평생을 상부상조하는 친구들을 사귀고 배우자를 만나 결혼하며, 워싱턴 정계, 뉴욕 재계, 보스턴 교육 문화계 등에 진출하여 성공해서 기반을 잡는다는 뜻이다. 동북부 기반이란 단어의 의미를 알게 되니까 명문가를 만드는 꿈을 향한 방향이 어렴풋이 잡혀가는 것 같았다.

나는 서울맹학교 중고등부를 거쳐 연세대를 졸업하고 도미 유학하였으니 동북부 기반 형성에는 자격 요건이 안 된다. 그러나 내가 수업을 받는 동안 아파트에서 뛰어놀고 있을 진석이와 진영이는 동북부 기반 요건을 갖출 수 있다는 소망이 생겼다.

그러한 생각을 하는 동안 강의는 계속 진행되어 미국 최초의 대학 준비학교인 필립스 아카데미 양교의 설립 배경과 역사를 배우게 되었다. 건학 이념인 "나 자신을 위해서가 아닌"(Not for Self)은 신선한 충격을 주었다. 교육학을 전공해서 박사가 될 때까지 교육은 나 자신을 위해 받는다고 생각해 왔기 때문이었다. 그런데 미국 최고 명문고교인 필립스 아카데미 앤도버의 설립자인 사무엘 필립스와 엑서터의 설립자인 존 필립스는 교육은 나를 위해 받는 것이 아니고 하나님의 영광과 사회와 국가와 세계를 위해 받는다는 것이다. 이처럼 새로운, 아니 이전까지 내가 알고 있던 것과는 정반대되는 교육 진리를 배우면서 내 생각에 변화가 오기 시작했다.

1962년 서울맹학교 중등부에서 새로운 인생을 시작할 때부터 그때까지는 대학생이 되고 대학원생이 되고 박사가 되고 교수가 되는 것이 인생 목적의 전부였다. 그러나 이렇게 무엇이 되느냐보다 하나님의 영광과 지역사회와 국가와 세계를 위해 어떻게 사느냐가 더 중요하다는 것을 깨닫고 보니 시야가 대학 캠퍼스에서 더 넓고 큰 세상으로 확장되고 인생의 비전이 선명해졌다.

뿐만 아니라 2세 교육에 대한 방향과 목적도 분명해졌다. 두 아들의 교육은 실력과 인격을 갖추게 하는 필립스 아카데미와 아이비리그에서 시키겠다는 장기적인 계획을 세우고 그 계획을 수행하는 데 필요한 경비를 조달하기 위해 진석이와 진영이의 이름으로 통장을 개설하고 저축하기 시작했다.

13년 후에 진석이가 필립스 엑서터 아카데미에 입학하게 되었다. 앤도버와 엑서터 양교에 합격을 해놓고 엑서터를 선택한 것은 보수적 성향 때문이었고 나의 역할모델 중 하나였던 에이브러햄 링컨 대통령이 장남 로버트 타드를 엑서터에서 교육시키고 하버드로 진학시켰었기 때문이다. 1860년에 링컨이 대통령 선거운동을 할 때 로버트 타드가 엑서터에 재학하고 있어서 엑서터를 방문한 것이 역사가 되어 수업 시간에 배우게 되었던 것이다.

그러나 진영이는 다른 이유에서 앤도버를 택했다. 1990년 진영이가 입학을 할 당시 현직 대통령이 다닌 학교에 다니고 싶다는 것이었다. 그리고 정치적 야망을 가지고 있어 실력은 기본이고 인맥 형성의 폭을 넓혀야 하는데 그러려면 형과 다른 학교에 다니는 것이 유리하다는 판단에서였다. 그러한 진영이의 판단은 옳은 것이어서 훗날 아버지인 나의 인간관계 범위를 넓히는 데도 도움을 주었다.

"민주주의와 교육" 시간에도 실생활에 응용할 원리를 하나 배웠다. 존 듀이가 주창한 것으로, 인간관계는 상호 이익이 있어야 존재한다는 실용주의 철학이었다. 내가 장애인이기 때문에 남에게 짐이 되기가 쉬운데 가능한 한 부담을 주지 않고 정안인들과의 관계에서도 서로 유익이 되는 관계를 유지하기 위해 최선을 다하게 되었다. 가능하면 상대방에게 유익이 되게 하는 방법을 생각하게 되니까 소외되어 살지 않고 많은 친구들과 친지들을 가지고 사는지도 모른다.

"참된 것인가? 관계된 사람들에게 공정한가? 친선과 우정에 도움이 되는가? 관계된 사람들에게 유익이 되는가?"라는 초아의 봉사정신을 모토로 하는 로터리 클럽의 네 가지 판단 기준에 대한 질문인데, 훗날 로터리 클럽 회원이 되었을 때 같은 맥락에서 이해하고 일상생활에서 판단기준으로 활용하게 되었다.

박사가 된 후 미국에서 취업이 되어 정착을 시작할 때까지의 기간은 모두 8개월이었다. 그 기간의 절반인 4개월은 박사 후 과정에서 연구하며 보냈고, 나머지 4개월은 별로 하는 일 없이 생활비를 축내며 일자리를 찾아 헤맸다. 그것은 그리 쉬운 일이 아니었다. 겨우 일자리를 찾아 이번에는 되겠거니 생각하면 유학생 비자이기 때문에 취업을 할 수 없어 번번이 실망할 수밖에 없었다.

네 식구의 가장으로 하루하루 생계를 꾸려가는 것이 막막할 때 8개월은 무척이나 긴 세월이었다. 그러나 그러한 인생의 캄캄한 어둠 속에서 나는 너무나 소중한 것들을 얻었다. 기회의 땅 미국에서 두 아들과 함께 명문가를 이루는 꿈을 가지게 되었을 뿐만 아니라 고난과 역경은 긍정적인 자산이 될 수 있다는 진리를 깨닫고 실천하게 된 것이었다. 뿐만 아니라 아내의 숭고한 신앙과 헌신적인 사랑을 다시 확인하는 기회가 되었다.

아내는 가장으로 가족의 생계도 제대로 꾸려가지 못하는 무능한 남편을 원망하거나 불평하지 않고 오히려 여기까지 인도하신 하나님께서 반드시 길을 열어 주실 것이라고 위로하며 해결사로 나섰다. 한국 고아 3명을 입양한 미국인 친구의 조언과 도움으로 내가 취직을 할 때까지 식료품 가게를 운영하여 생활을 하겠다는 것이었다. 아파트와 가게가 붙어 있는 조그만 건물을 구입해서 가게를 열 준비를 하는데 3살짜리 진석이는 엄마와 함께 물건을 판다고 마냥 좋아했다. 그리고 드디어 1977년 1월 3일 가게 문을 열기로 했다. 그런데 우연이었을까, 아니면 하나님의 계획이었을까? 그날 인디애나에 일자리가 생겨 가게를 여는 대신 서둘러 이삿짐을 싸서 이사를 하게 된 것이다.

두 아들은 유학 기간 중 피츠버그에서 태어났지만 진석이는 세 살 반, 진영이는 생후 6개월 때 인디애나로 옮겨왔다. 그러니까 두 아들에게는 인디애나가 고향인 셈이다. 무엇보다도 주정부 교육 공무원이 되니까 영주권 문제가 해결되어 아내도 특수교사로 취업을 하게 되었다. 내외가 동분서주하면서 열심히 일해 모은 돈으로 아담한 집도 마련했다. 그 집에 살면서 네 식구가 행복한 가정을 꾸미고 명문가 건설에 대한 꿈을 키워갈 수 있었다.

그 집에서 진석이는 필립스 엑서터에 진학해서 최우등생 중 하나로 졸업하고 하버드대로 진학했다. 링컨 대통령 장남과 같은 코스를 밟은 셈이었다. 한편 진영이는 그 집에서 당시 41대 대통령 조지 부시의 모교인 필립스 앤도버로 진학했다. 그때는 아들 부시 대통령이 그 학교 출신이라는 사실은 몰랐다. 진석이와 진영이의 필립스 아카데미 입학 허가서를 받고 네 식구가 감격했던 순간들은 지금도 우리의 행복한 추억으로 남아 있다.

나 자신을 위해서가 아닌

미국 최고 명문고교인 필립스 아카데미의 건학 이념은 "나 자신을 위해서가 아닌"이다. 다시 말하면 자신을 위해 교육을 받는 것이 아니라 남과 사회를 위해 받는다는 말이다. 그러한 필립스 아카데미의 건학 이념은 나의 인생철학과 밀접한 관계가 있다.

나는 아내에게 인생 30년의 장기 목적을 담아 석은옥이라는 이름 석 자를 지어 주었다. 석의 시대 10년 1962년에서 72년까지는 모진 시련과 역경을 숭고한 믿음과 불굴의 의지로 극복하는 시기, 은의 시대 10년 1972년에서 82년까지는 결혼해서 행복한 가정을 꾸미고 부부의 공통된 이상과 꿈을 위해 준비하는 시기, 옥의 시대 10년 1982년에서 92년까지는 하나님께 영광을 돌리고 사회봉사를 하는 시기로 정했다.

석의 시대 10년 동안 복술가가 되고 안마사가 되는 한국 맹인들의 일반적인 공통 운명에 도전하여 승리하고 1972년 2월 21일에는 자타가 공인하는 명문 연세대 문과대학을 차석으로 졸업했다. 5일 후에는 지성과 인격은 물론 미모까지 갖춘 반려자를 맞이하게 되었다. 그뿐이 아니었다. 장애가 문교부 해외유학 결격사유가 되던 시절에 그 법적 불평등 조항을 제거하고 한국 장애인 최초 정규 유학생이 되었을 뿐만 아니라, 다른 장애인들에게 정규 유학의 문을 열어 주었다.

은의 시대가 시작되던 해 도미 유학을 떠나 3년 8개월 만에 교육학 석사, 심리학 석사, 교육학 전공 철학박사 학위를 받고 교수와 교육행정가로 자리를 잡아가게 되었다. 아내는 퍼듀대에서 교육학 석사를 받아 인디애나 공립학교 종신교사가 되고, 행복한 가정에서 두 아들은 건강하고 영특하게 성장했다. 뿐만 아니라 대구대 초청교수 겸 국제협력학장으로 모국의 특수교육 및 재활 발전에도 기여하게 되었다.

옥의 시대가 시작되는 1982년 새해가 밝아오자, 나는 6년 전 박사과정 "미국 고등교육사" 강의실에서 배웠던 필립스 아카데미 양교의 건학 이념을 머리 속에 떠올렸다. 옥의 시대에 내가 성취할 목적과 필립스 아카데미 건학 이념의 유사성 때문이었다.

시력과 양친을 잃고 세상 사람들에게 거추장스러운 짐이나 될 뿐 사회에 무용지물이라고 생각했었던 내가 하나님의 형상대로 지음받은 인간은 가진 자이든 가지지 못한 자이든 장애자이든 비장애자이든 모두 평등하고 존귀하다는 사상과 믿음을 가지게 된 후 사회에 유익을 주는 봉사를 목적으로 삼았다. 하나님께 영광을 돌리겠다는 목적도 같은 맥락에서 나왔다. 내가 비록 육신의 빛은 잃었지만 그래도 하나님께서 실명을 통해 주신 독특한 사명을 완수해서 영광을 돌릴 수 있다는 생각과 믿음에서 나온 것이다.

필립스 아카데미의 건학 이념인 "나 자신을 위해서가 아닌"은 성경 고린도전서 10:31과 누가복음 6:38에서 비롯된 것이다. 즉 고린도전서 말씀처럼 가장 질 좋은 교육을 받아 자신에 앞서 하나님의 영광을 위해 사용하고, 누가복음 말씀대로 자신을 위해서가 아닌 지역사회와 국가와 세계를 위해 주는 삶을 준비하라는 의미이다.

그러니까 필립스 아카데미 건학 이념은 옥의 시대 10년 동안 내가 성취할 목적과 대동소이한 것이다. 필립스 아카데미 설립자 사무엘 필립스와 존 필립스는 그러한 교육 원리를 성경에서 찾았고, 나는 모진 시련과 역경 속에서 체험적 신앙을 통해 찾은 것에 차이가 있을 뿐이다.

사회봉사를 하기 위해 옥의 시대가 시작된 1982년에 로터리 클럽에 입회하여 오늘에 이르렀으니 만 20년이 되었다. 로터리 클럽을 선정한 것은 개인적으로 진 사랑의 빚을 갚는다는 생각에서였다. 유학 기간 중 국제 로터리 재단에서 1년 동안 친선대사 장학금을 받았고, 로터리 7280지구에서 1년 동안 장학금을 받아 박사학위를 받았기 때문이다. 또한 그동안 맺어진 초아의 봉사 정신을 가진 친지들과의 아름다운 인연들도 결정에 한 몫을 했다.

하나님께 영광을 돌리기 위해서는 약한 것들을 자랑해서 하나님의 계획과 목적을 드러내는 사도 바울의 신앙을 본받아 체험기를 쓰기로 했다. 책 제목을 빛은 내 가슴에라 하고 기독교 방송사에서 발행했다. 당초 예상과는 달리 각계의 호평을 받으며 수만 권이 보급되었다. 이에 힘입어 그 책을 영어로 옮겨 미국 장로교 총회 출판사인 존 낙스 프레스에서 출간했다. 영문판은 미국회도서관에서 녹음 도서로 제작되어 보급되고 일본어와 스페인어를 비롯한 여섯 나라 말로 번역 출간되기도 했다.

이와 같이 옥의 시대에는 나 자신이 아닌 하나님의 영광을 위하여, 남과 사회를 위하여 살려고 노력했다. 그런데 나 자신을 위해서가 아닌 삶을 살 때 나에게 돌아오는 영예와 축복이 훨씬 크다는 진리를 깨닫게 되었다.

1987년 빛은 내 가슴에가 출간되었을 때 가장 먼저 기사화해 준 미디어가 국제 로터리 세계본부 공식잡지인 로터리안이었다. 그때 이미 나는 로터리 세계에 널리 알려져서 1983년 6월 캐나다 토론토에서 열렸던 국제 로터리 세계대회에서 연설도 하고 세계 도처 로터리 클럽 초청 강연회를 했기 때문이다.

그런데 그 잡지 기사를 읽고 적극적 신앙의 원조로 알려진 노만 빈센트 필 박사와 세계적인 부흥강사 로버트 슐러 박사가 연락을 해왔다. 두 분 다 수십 년 동안 매월 회원들에게 배달되는 로터리안이라는 잡지를 보신 것이다. 그로 인해 노만 빈센트 필 박사는 가이드포스트에 나의 스토리를 실었고, 로버트 슐러 박사는 수정교회 "능력의 시간"에 나를 초청하여 방영을 했다. 가이드포스트는 22개 언어로 발행되는 잡지이고 수정교회 "능력의 시간"은 세계 도처 10억 인구에게 방영되기 때문에 그 영향력은 대단한 것이었다. 그로 인해 나는 로터리 세계와 교단을 초월해서 교계에서 세계적인 스타가 되었다.

미국 감리교 교단과 남침례교 교단에서 1988년에 그 책을 필독서 선정 목록에 포함시키자 교회 집회 요청이 쇄도하여 평신도 부흥강사로 교계 지도자들과 영적 교제를 나눌 수 있게 되었다.

한편 로터리 세계에서는 세계 최대 장학문화재단사업을 홍보하는 도구로 나를 사용하기 시작했다. 다시 말하면, 장학사업은 최선의 투자이며 국제 이해와 세계 평화를 달성하는 지름길임을 보여 주는 하나의 구체적인 증인으로 나를 내세우게 된 것이었다.

1992년은 옥의 시대 10년의 마지막 해이자 국제 로터리 재단 창립 75주년을 기념하는 해였다. 그래서 국제 로터리 세계본부에서는 전 세계 120만 클럽 회원 중에서 75년 봉사를 상징하는 봉사의 인물 75

명을 선정했다. 놀랍게도 내가 그중 하나로 선정되었다. 나 자신이 아니라 하나님의 영광을 위하여 지역사회와 국가와 세계를 위한 삶을 본격적으로 시작한 지 꼭 10년이 된 때였다.

또한 선정된 75명 봉사의 촛불 중에서 다시 5명의 대표로 하여금 그해 6월 플로리다주 올랜도 소재 시빅센터에서 개최된 국제 로터리 세계대회에서 연설을 하도록 했는데, 그러한 영광이 나에게 주어지리라고는 꿈에도 상상 못했다. 그러나 그것은 현실이었다. 158개국 3만여 민간 지도자들이 모인 대회에서 나는 "좋은 세상을 만들어 가는 사람들"이라는 제목으로 연설을 해서 열광적인 기립박수를 받았다.

나의 인생 설계 30년 중 마지막 10년은 내가 가진 최선의 것을 세상에 주는 삶을 살겠다고 했지만 그 기간 동안에 나 자신이 아닌 하나님과 사회를 위해 한 일은 너무나 작은 것이었다. 그저 지식과 재능과 경험을 나누어 주었을 뿐이다. 굳이 더 찾아본다면 시간과 재물을 나눈 것이 고작일 것이다. 그러나 이에 비해 내가 받는 세상 사람들의 존경과 사랑, 그리고 그에 따르는 영예는 너무나 큰 것이었다. 받는 자보다 주는 자가 복이 있다고 한 성경의 진리를 검증한 셈이었다.

41대 조지 부시 대통령과의 만남

41대 조지 부시 대통령과의 만남

1990년 9월 진영이가 필립스 아카데미 앤도버에 입학하였다. 앤도버와 엑서터를 놓고 어느 학교를 선택할 것이냐 저울질을 할 때 아내와 나는 엑서터 쪽으로 기울어져 있었다. 진석이 때 이미 그 과정을 거쳐 엑서터를 택했고 그곳에서 진석이가 잘 적응하면서 두가을 나타내고 있었기 때문이었다.

그러나 진영이의 생각은 달랐다. 형이 두각을 나타내고 있기 때문에 오히려 형의 이미지를 뛰어넘어 인정받기가 어렵다는 것이었다. 뿐만 아니라 오히려 부시 대통령이 다녔던 학교를 다니고 싶고, 형과 다른 학교를 나오면 훗날 학연에 의한 인간관계를 더 넓힐 수 있다는 것이었다. 그래서 우리는 진영이의 결정에 따르기로 했다. 그런데 그것이 부시 가문과 인연을 맺는 매개체 역할을 하게 되었다.

기숙사에 들어갈 때 진영이는 혼자 비행기를 타고 갔다. 독립심이 강해 해낼 수 있다는 자신감과 신뢰감이 있기도 했지만 진석이 학교를 방문할 때 함께 가보았던 경험도 있기 때문이었다.

그해 10월 마지막 주말이 패어런트 위크엔드(Parent Weekend)여서 처음으로 진영이를 방문하게 되었다. 마침 진석이 학교도 패어런트 위크엔드라 엑서터를 먼저 가서 진석이를 데리고 함께 갔다. 오래간만에 네 식구가 만나 진영이의 안내로 맥너머 교장 선생님이 베푸는 만찬장으로 갔다.

나는 그때까지 진석이가 엑서터 마크가 새겨진 모자와 셔츠를 착용하고 있는 줄 몰랐다. 앤도버와 엑서터는 같은 필립스 아카데미로 협력관계이지만 치열한 경쟁 대상이기도 하다. 그러다 보니 교장 선생님은 진석이를 보시고 대뜸 어떻게 엑서터 모자를 쓰고 당당히 앤도버에 왔느냐고 농담부터 하셨다.

분위기가 화기애애해지자 나는 빛은 내 가슴에 한 권을 드렸다. 그랬더니 그것을 잠시 훑어보시고 부시 대통령께 한 권 보내 드리라는 제안을 하시는 것이었다. 초대 조지 워싱턴 대통령이 앤도버를 방문한 지 200주년이 되어 그것을 기념하기 위해 얼마 전 다녀가셨는데 미국 장애인 민권법(ADA, Americans with Disability Act)에 서명하신 것을 자랑스럽게 생각하고 계신다는 것이었다.

자서전인 빛은 내 가슴에로 인해 41대 부시 대통령과 인연을 맺게 되었다. 부시 대통령은 진석이와 진영이를 무척 아껴주신다.

한달 정도 지나 감사절에 두 아들이 집에 왔다. 그 기회에 진영이와 나는 부시 대통령께 편지를 한 장 썼다. 현직 대통령께 보내는 최초의 편지였다. 학부모로 필립스 아카데미를 방문했다가 맥너머 교장 선생님과 대화 중에 자서전을 한 권 보내드리라는 제안을 하셔서 동봉한다는 내용을 담았다.

백악관 주소로 편지와 책을 보내면서 답신은 기대도 안했고 더군다나 대통령 친서로 회신이 오리라고는 상상도 못했다. 그저 대통령께 보내드리는 것을 영광으로 생각했을 뿐이다. 그런데 뜻밖에도 백악관 소인이 찍힌 편지 한 통이 왔다. 대통령께서 직접 서명하신 편지였다.

"……당신은 인생에 등을 돌려야 할 절망적인 환경 속에서도 결코 포기하지 않고 투쟁해서 오늘날 주류사회에 떳떳이 설 자리를 발견했습니다. 당신의 이야기는 장애인이든 비장애인이든 수많은 사람들에게 영감을 주고 귀감이 됩니다."

그 편지는 여러 모로 나를 격상시켰으며 그로부터 부시 가문과 명문가를 꿈꾸는 우리 가문과의 관계가 시작되었다.

그때 나는 하나님께서는 때로는 우연을 통해서도 우리 인생을 안내하신다는 진리를 깨닫게 되었다. 만일 진영이가 부모 생각을 존중하여 형이 다니는 학교를 선택했거나 아니면 우리가 끝까지 진영이의 선택을 무시하고 형이 다니는 학교를 가라고 했더라면 부시 대통령 가문과의 인연은 이어지지 않았을지도 모른다.

그런 일이 있은 후 1년 뒤인 1991년에 진석이는 최고 우등생 중 하나로 엑서터를 졸업하고 하버드대로 진학하게 되었다. 아들이 맹인이 된다는 충격으로 어머니가 타계하신 지 15년 만에 나는 한국 맹인 최초 박사가 되었고 그 후 다시 15년이 지나 진석이가 세계 명문 하버드대에 입학하게 된 것이다. 나는 이 자랑스러운 소식도 대통령께 전할 수 있었다.

그러나 애석하게도 부시 대통령은 1992년 대선에서 재선에 실패하고 말았다. 무엇이라 위로를 드릴 수도 없는 입장이라 연락을 끊고 2년을 기다렸다. 그랬더니 본격적으로 사회봉사 활동을 하시는 것이 뉴스를 통해 세상에 알려졌다.

한편 나는 아내와 공저로 1991년에 자전적 에세이 어둠을 비추는 한 쌍의 촛불을 종로서적에서 출간하게 되었다. 그 책을 당시 김학준 공보수석이 노태우 대통령께 선해 드려 대통령과 단독 면담이 이루어졌다. 그 결과 청와대의 상징적인 지원으로 사회복지법인 국제교육재활교류재단이 1992년 12월 창립되게 되었다.

부시 대통령이 재선에 실패한 후 2년 동안의 은거생활을 청산하고 전직 대통령으로 왕성한 사회봉사 활동을 시작한 1994년은 로제타 홀 선교사가 평양에서 맹인 여아 두 명을 정진소학교에 통합시켜 장애인 선교와 교육을 시작한 지 백주년이 되는 해였다. 그래서 국제교육재활교류재단이 주최하는 한국 장애인 선교와 교육 백주년 기념 장애인 재활 국제 학술대회에서 기조연설을 해달라고 초청장을 보냈다. 그랬더니 공보비서가 전화를 걸어 직접 서울까지 가실 수는 없고 비디오로 연설을 해주시겠다는 뜻을 전해주었다.

그때 문화방송 드라마 제작국에서는 어둠을 비추는 한 쌍의 촛불을 토대로 특집극 "눈먼 새의 노래"를 제작 중이었다. 그래서 비디오 연설을 마친 후 특집극 에필로그에 첫 번째 편지에 써주셨던 메시지를 반복해 달라는 요청을 추가로 드렸다.

국제적으로 존경받는 미합중국 전직 대통령께서 "강 박사는 한국뿐만 아니라 세계적인 귀감입니다."라고 하니 그 영향력은 대단한 것이었다. 1995년 12월 3일 유엔이 정한 국제 장애인의 날 행사 후 비디오 상연이 있었는데 부트로스 갈리 당시 유엔 사무총장을 비롯한 150

명 유엔 지도자들이 관람해서 감동을 받았다.

부시 전 대통령이 연설을 녹화할 때는 네 식구가 함께 갔다. 진석이는 하버드대 3학년에 재학 중이었고, 진영이는 필립스 아카데미 졸업반 때였는데, 우리 내외와 보내신 시간보다 두 아들과 보내신 시간이 훨씬 많았다. 다녀온 후 감사의 글을 보냈더니 "……당신 가족 모두를 만난 것은 나의 커다란 기쁨이었습니다."라고 답신을 보내 주셨다. 그러한 만남이 있었기 때문에 두 아들 결혼식 청첩장도 보내드렸던 것이다. 그랬더니 마치 할아버지가 결혼하는 손자들에게 주시는 것처럼 애정 어린 충고를 겸한 축한 메시지를 보내 주시어 두 아들 부부가 소중히 간직하고 있다.

부시 가문과의 인연은 우연이 아닌 필연이었다. 1995년은 유엔 창립 50주년이자 유엔 주창자였던 미국 32대 대통령 프랭클린 루스벨트 타계 50주년이 되는 해였다. 그래서 세계장애위원회와 루스벨트 재단은 그 두 가지 역사적 사건을 기념하는 방안을 논의하기 시작하였고 내가 세계장애위원으로 추천되었다.

그런데 부시 전 대통령이 전직 유엔 사무총장과 함께 명예의장이었다. 뿐만 아니라 나를 추천한 딕 손버그 전 법무장관은 부시 행정부에서 법무장관을 3년 동안 하고 그 기간 중에 미국 장애인 민권법이라 불리는 ADA 제정 통과에 산파역을 담당했으며 부시 대통령은 서명을 했다. 이에 앞서 손버그 장관은 펜실베이니아 주지사를 두 번 역임했으며 유엔 행정 사무차장도 지낸 거물급 인사였다. 그런 분의 소개와 강력한 추천으로 유엔 세계장애위원회 위원이 되고 명예 의장이신 부시 전 대통령과도 오랜 친분이 있어 능력과 자질을 인정받는 데 크게 도움이 되었다. 1년도 못되어 나를 추천한 손버그 장관과 어깨를 나란히 하고 부의장이 되어 오늘에 이르게 되었다.

한 걸음 더 나아가 루스벨트 재단과 공동으로 매년 유엔 장애인 행동계획에 비추어 괄목할 만한 장애인 복지향상을 한 국가 원수에게 루스벨트 국제 장애인상을 시상하기 때문에 루스벨트 재단 고문으로 초청받게 되었다. 그로 인해 루스벨트 대통령의 손자 손녀들과도 교제하게 되고 케네디 가문과도 인연을 맺게 되었다.

이와 같이 나의 실명은 미국 상류층 인사들과 교분을 나누고 그들과 어깨를 나란히 하고 사회 활동을 하는 데 큰 도움이 되고 있다. 그래서 나는 나의 실명을 장애가 아니라 하나님께서 나에게 주신 사명을 수행하는 도구라고 믿는다.

어느 날 나는 부시 전 대통령께 구체적으로 왜 나의 스토리가 많은 사람들에게 감동을 주는지 물었다. 그 대답은 이러했다. "당신의 이야기에는 문화와 언어를 초월해 존재하는 인간의 고귀한 가치가 반영되어 있어요." 그러면 그것이 무엇인지 묻자 실명의 절망과 고뇌를 극복한 숭고한 신앙, 결코 포기하지 않고 노력하는 끈기와 투쟁 정신, 결심과 불굴의 의지 그리고 주위 많은 사람들의 아픔에 동참하는 마음 등이라고 대답했다.

나는 나의 스토리 속에 그러한 아름답고 고귀한 가치들이 숨겨져 있는지 몰랐다. 그러나 그 말을 듣고 신앙, 의지, 결심, 끈기, 아픔에 동참하는 마음 등을 하나하나 생각해 보고 분석해 보니까 공감이 되었다. 그러니까 저자인 나보다 한 단계 위에서 보신 것이다. 그로부터 나는 그분을 마음속 깊이에서 더욱더 존경하고 사랑하게 되었다.

1997년 11월 5일에는 41대 조지 부시 대통령 도서관과 박물관이 텍사스 A&M 대학교 내에 제막했다. 조그만 도시라 호텔 방을 구할 수 없어서 1시간 이상 자동차로 가야 하는 곳에 숙소를 정하고 고생고생 하면서 제막식에 다녀왔다. 그만한 성의와 열정이 마음속에서 우러나올 정도로 존경심이 컸기 때문이었다. 각국 외교 사절을 비롯한 수천 명이 참석한 가운데 빌리 그레이엄 목사님의 기도로 시작해서 축도로 끝난 의식은 거룩하게 드리는 예배와도 같았다.

41대 대통령 취임식 때는 즉흥적으로 모두 머리 숙여 기도하자고 했다고 한다. "……대통령으로서의 권력을 나와 내 가족을 위해서 쓰지 말게 하시고 오로지 국민을 섬기는 데만 쓰도록 도와주옵소서."라고 기도한 후 취임연설을 시작했다고 한다.

여기서 잠깐 거지를 명사로 만들어 준 일화를 하나 소개하고 싶다. 작년 여름에 워싱턴에 거주하던 거지가 죽었는데 그의 죽음이 전국으로 방영되는 뉴스에까지 보도되었다.

조지 부시 대통령은 재임시 백악관 근처에 있는 세인트 제임스 교회에 출석하였다. 그런데 어느 주일 교회로 들어가는데 "대통령님!" 하고 부르는 소리가 들려 무의식중에 고개를 돌렸다고 한다. 그랬더니 그 근처에서 구걸하는 노숙자 하나가 "저를 위해 기도 좀 해주세요!"라고 했다. 그 요청을 부시 전 대통령은 단호히 거절했다.

"왜 내가 당신을 위해 기도해야 합니까? 오히려 당신이 국가와 국가 지도자들을 위해 기도해야지요."

이 말은 그 노숙자의 마음을 움직이기 시작했다.

"그럼 저도 하나님께 기도할 수 있어요?"

"물론입니다. 하나님의 집에는 담이 없습니다."

"그럼 저도 당신이 예배드리고 기도하는 성전에 들어가 기도할 수 있을까요?"

"물론입니다."

그때부터 그 노숙자는 그 교회에서 기도하면서 동료 노숙자들에게도 하나님의 집에는 아무나 들어가 기도하고 예배드릴 수 있다고 전도하며 보람된 일생을 살다가 죽었다고 한다. 하나님의 사랑 안에서는 거지도 명사가 될 수 있다는 진리를 입증한 셈이다.

그러한 신앙과 인격을 가진 부시 전 대통령과 인연을 맺은 것은 우리 가문의 영광이기에 앞서 하나님의 크신 축복임은 말할 나위도 없다. 그러한 기적 같은 일도 그분이 말했듯이 나도 그분과 유사한 기독교 가치관을 추구하며 살기 때문에 가능했던 것이다.

미 연방 고위 공직자로

미 연방 고위 공직자로

1994년 5월 부시 전 대통령께서 한국 장애인 선교와 교육 백주년 기념 국제 세미나 연설을 녹화해 주실 때 조그만 성의라도 표하고 싶어 공보비서관에게 물었다. 그랬더니 부시 대통령 도서관 재단에 기증하는 것이 가장 좋을 것 같다고 했다. 그 말을 듣고 돌아와 도서관 재단으로, 텍사스 주지사와 플로리다 주지사에 출마한 두 아들 선거운동본부로 감사편지를 보내면서 소액의 수표를 동봉해 보냈다. 그랬더니 얼마 안 되어 부시 전 대통령과 도서관 재단, 그리고 두 아들, 이렇게 네 곳에서 답신이 왔다. 그때부터 부시 삼부자와 서신 왕래를 시작하게 되었다.

그 해 선거에서 형은 텍사스 주지사에 당선되고 아우는 플로리다 주지사 선거에서 낙선을 했다. 선거가 끝난 후 형에게서는 지지자들에게 보내는 형식적인 감사편지가 왔는데, 동생에게서는 펜으로 직접 쓴 편지가 가족사진까지 동봉되어 왔다. 그래서 그 후 4년 동안 동생과만 편지를 주고받게 되었다.

특히 그가 저술한 책 인격의 프로필(*Profiles in Character*)은 동지의식을 느끼게 해주었다. 명문대를 졸업한 아들을 흑인과 스페인계 소수민족 학생들이 주종을 이루는 마이애미 시내 학교에서 가르치게 하는 것도 마음에 들었다. 그러는 동안 4년의 세월이 흘러 다시 선거철이 되었다. 이번에는 형도 재선되고 동생도 플로리다 주지사로 당선되었다.

1998년 새해에 나는 부시 형제로부터 주지사 취임식에 참석해 달라는 초청장을 받았다. 텍사스와 플로리다를 모두 갈 수 없어서 처음에는 플로리다로 갈 생각이었다. 그동안 편지와 책자와 잡지를 통해 정이 들었기 때문이다.

그러나 시간이 갈수록 텍사스 주지사 취임식에 가는 것이 나을 것이라는 생각이 들었다. 동생의 정치 철학이나 가치관에 대해서는 그동안 많이 배워 알고 있지만 형의 신앙과 인격에 대해서는 너무 아는 것이 없어 호기심이 생겼기 때문이다. 또한 형은 이미 그때 공화당 대통령 후보 가능성이 점쳐지고 있어 텍사스를 택하게 되었다.

취임식은 유대교 랍비의 기도로 시작해서 휴스턴 천주교 주교의 축도로 끝났다. 그리고 중간에 개신교 찬송가가 오케스트라 하모니로 울려 퍼졌다. 참으로 엄숙하고 경건한 종교의식 같았다. 무엇보다도 부시 주지사의 취임 연설을 듣고 있자니 어느 유명한 목사의 설교를 듣고 있는 것으로 착각할 정도였다.

"……우리는 모두 하나님의 형상대로 지음받았습니다. 그러기에 하나님의 눈으로 보시기에는 백인이든, 흑인이든, 황인이든, 홍인이든 모두 평등하고 존귀합니다. 그래서 저는 정책적으로 인종, 종교적 신앙, 성별 등을 초월해서 하나님으로부터 받은 평등과 인간의 존엄성을 보장하는 데 역점을 둘 것입니다. ……많은 사람들이 정부가 문제를 해결해 줄 것으로 기대하고 있습니다. 그러나 여기에도 제한이 있습니다. 또 어떤 사람들은 경제 성장이 모든 문제를 해결할 수 있다고 믿습니다. 경제 성장은 지속될 것입니다. 그러나 돈으로 모든 문제를 해결할 수는 없습니다. 우리가 긍휼히 여기는 마음을 가지고 서로를 사랑하고 사랑을 받을 때 돈으로 해결할 수 없는 많은 사회 문제를 해결할 수 있습니다."

나에게는 기대 이상으로 신선한 충격을 주는 대목들이었다. 그때부터 나는 기독교 신앙과 가치관에 관련된 부시 주지사, 공화당 대통령 후보, 대통령으로서의 언행에 커다란 관심을 가지고 주목하게 되었다. 그리고 보수 정통 신앙을 가진 사람들은 개인 구원에만 관심이 있고 사회 구원에는 관심이 부족하다는 편견을 말끔히 씻어버리는 계기가 되었다.

신앙적인 관점에서 2000년 미국 대선 결과를 분석해 보면 재미있다. 민주당 고어 후보가 총투표자 수로는 공화당 부시 후보를 훨씬 앞섰다. 그러나 선거인단 수에서 부시에게 뒤져서 선거에서 패배한 것이다. 플로리다주에서 졌더라도 만약 고어의 출신 주인 테네시주나 사고로 세상을 떠난 민주당 연방 상원의원 후보가 승리한 미주리주에서만 이겼더라도 43대 대통령이 될 수 있었을 것이다. 그런데 이 두 주에서 패했다. 그리고 그 원인은 주민들과 기독교 신앙 노선에 차이가 있었기 때문이었다.

테네시주는 남부에 위치하고 있어 주민들이 보수 정통 신앙을 가진 사람들이 많다. 고어도 젊은 날에는 내시빌 선교 침례교회에 출석하면서 보수 신앙을 가졌었는데 정치인이 되어 자유 진보 신앙 노선을 걷게 된 것이다. 그래서 민주당 역사상 자신의 출신 주에서 실패한 유일한 대통령 후보로 낙인찍히게 되었다.

미주리주에서는 선거 기간 중에 민주당 후보가 자가용 비행기 사고로 사망했는데 선거에서 승리하여 미망인이 그 자리를 2년 후 보결 선거까지 승계하는 이변이 있었다.

미주리는 보수 정통 신앙을 가진 애시크라프트 법무장관이 주 검찰청장과 주지사를 역임했을 정도로 보수 신앙 성향이 강한 주이다. 애시크라프트 법무장관의 할아버지와 아버지는 하나님의 성회 교단 출신 목사였는데, 하나님의 성회 교단 본부와 교단 신학교도 미주리에 소재해 있다.

부시와 고어 둘 다 훌륭한 신앙인들이다. 다만 보수 정통 신앙이냐 자유 진보 신앙이냐 차이가 있을 뿐이다. 선거가 끝날 때까지도 나는 고어 후보를 너 잘 알고 있었다. 나는 루스벨트 재단 고문으로 루스벨트 기념관 설립과 2001년 1월 10일 클린턴 대통령이 봉헌한 루스벨트 장애인 동상 건립에 관여했었는데, 고어는 부통령으로서 루스벨트 장애인 동상 추가 건립 위원회 의장직을 맡고 있었고, 1997년 5월 2일 루스벨트 기념관 제막 백악관 만찬회에서 내가 연설했을 때도 그 자리에 있었다.

그러나 나는 2000년 미국 대선 운동이 시작되자 조지 부시 후보를 지지하고 장애인 정책 입안에 대해 자문하기 시작했다. 물론 두 후보의 신앙 노선 차이도 영향을 미쳤지만 오랫동안 부시 가문과 인연을 맺어온 데다 두 후보의 성격차이도 한 몫을 했다. 고어는 앨리트 출신에 비교적 성격이 차가워서 접근하기 어려운 타입인데 반해 부시는 시골 아저씨 같은 느낌을 주는 따뜻한 성격이라 가까이 접근하기가 훨씬 수월했기 때문이다. 부시 전 대통령도 다정하지만 아들 부시가 더욱더 따뜻한 성격이다.

그렇다고 우리 네 식구가 모두 부시를 지지한 것은 아니었다.

의사인 진석이는 우리 부부와 함께 부시를 밀었고 변호사인 진영이는 고어를 밀었다. 부시 대통령은 진영이의 필립스 아카데미 선배이고 고어는 진석이의 하버드대 선배일 뿐 아니라 던스터 기숙사 선배이기도 하며 장녀인 코린어스 변호사와는 동기 동창이기도 하다. 이러한 학연에도 불구하고 신념과 철학에 따라 투표하는 아들들이 대견스럽게 느껴졌다.

나는 부시를 지지하면 앤도버 출신인 클레이 존슨이 백악관 인사국장이라 권력의 핵심부에서 일할 기회를 얻을 수 있을 것이라고 진영이를 설득하려고 했다. 그러나 듀크대 법학전문대학원 시절 민주당의 거장인 에드워드 케네디 상원의원 밑에서 일을 하면서부터 실력과 인격을 인정받아 현재 나의 안목으로 생각했던 것보다 오히려 더 나은 탄탄대로를 걷고 있다.

나는 그동안 루스벨트 재단 고문, 세계장애위원회 부의장, 전국장애인 법인이사 등 장애인계 지도자로 활동해 왔기 때문에 부시 가문과 손버그 전 법무장관을 제외하고는 오히려 민주당 친구들이 더 많다.

"20대 젊은 나이에 진보적이지 못하면 마음이 없는 것이고,
40대 중년에 보수적이 아니면 정신이 없는 것이다." - 윈스턴 처칠

조지 미첼 전 민주당 상원 원내총무, 제임스 선 주한 미국대사, 벤덴휘벨 루스벨트 재단 이사장 등은 물론 루스벨트 가문과 케네디 가문 친지들이 모두 민주당이다.

그래서 오히려 부자간에 서로 도울 수 있는 기회가 더욱 많아졌다. 분명한 신념과 철학을 가지고 앤도버를 택해서 부시 가문과 연결했듯이 이번에도 민주당 상원의원을 택해 능력을 인정받아 당당히 걸어가고 있는 아들이 대견할 뿐이다.

이렇게 생각의 차이를 긍정적으로 받아들이기 전 한창 내가 진영이를 설득시키려 할 때 있었던 일화를 소개하고자 한다.

형제간에 우애가 돈독하고 서로를 존중하는 것을 이용해서 진석이의 지원을 얻으려 했었다. 내가 "20대 젊은 나이에 진보적이지 못하면 마음이 없는 것이고, 40대 중년에 보수적이 아니면 정신이 없는 것이다."는 윈스턴 처칠의 말을 인용하면서, "나도 젊은 날에는 자유 진보적이었는데 나이 들어 보수 성향을 띠게 되었다. 그러니 진영이 너도 20대가

지나면 차차 보수 성향이 될 것이다." 하고 말문을 열었다. 그랬더니 진영이가 먼저 선수를 쳤다. 왜 형은 아직도 20대인데 보수적인 공화당이 되었느냐는 것이었다. 아이쿠, 형의 지원 사격을 바랐는데 오히려 한방 맞는 것이 아닌가 걱정이 되었다. 그런데 진석이가 나는 비록 20대이지만 40대 만큼 성숙했기 때문이라고 응수하는 것이 아닌가.

유유상종이라고 의사인 큰아들 부부는 생각이 일반적으로 보수 성향이고, 변호사인 작은 아들 부부는 자유 진보적이다. 큰며느리는 대학에서 화학을 전공하고 대학원에서 의학을 전공했으며, 작은 며느리는 대학에서 영문학을 전공하고 대학원에서 법학을 전공했다.

우리는 결혼 전부터 시부모를 어머니, 아버지라고 부르도록 했다. 그래서 나를 아버지라고 부르며 친딸처럼 잘 따른다. 특히 작은 며느리가 더 애교가 많다. 그래서 나를 기쁘게 하려고 내 생각에 공감하는 척하는 것을 눈치 채지 못하고 하루는 남편의 생각을 바꿔 보라고 했다. 그랬더니 한마디로 "결혼 전부터 선거운동을 도와주기로 했는 걸요?" 하고 거절하는 것이었다.

그런데 재미있는 것은 관점이나 생각이 비슷한 장남보다 관점이나 신념이 다른 차남에게 의논하거나 조언을 구하는 때가 많다는 것이다. 2000년 성탄절 때 큰아들은 당직이라 못 오고 작은 아들만 집에 왔다. 그런데 크리스마스 이브에 부시 대통령 삼부자의 카드 세 장이 도착했다. 부시 대통령 당선자는 텍사스 주지사로서 보낸 것이었다. 진영이가 그 카드들을 읽어주는 순간 새로 출범하는 부시 행정부에서 일하게 되면 좋을 것 같다는 생각이 들었다. 그래서 진영이에게 그것이 가능할 것 같냐고 물었다. 아들의 대답은 긍정적이었다. "한번 시도해 보세요. 아버지 정도의 배경과 경력이면 가능성이 높을 거예요."라는 말에 나는 용기를 얻었다.

그래서 부시 전 대통령에게 기회가 주어지면 대통령과 국가를 위해 봉사하고 싶다고 편지를 쓰고 이력서를 동봉해서 보냈다. 일단 답신은 긍정적이었다. 인사에 영향력은 행사하지 않지만 내 편지와 이력서를 해당기관으로 전송하겠다는 내용이었다.

그러나 대통령 임명 절차와 방법에 관한 아무런 사전지식이 없어 그때부터 헤매야만 했다. 연방정부 공직자가 되어 보겠다는 분명한 목적을 가지고 사전준비를 했었더라면 아마 더 큰일을 할 수 있었을 것이다.

2001년 1월 20일 생전 처음으로 대통령 취임식에 초청받아 아내와 함께 참석했다. 대통령 취임연설에서도 텍사스 주지사 재선 때의 취임연설과 공통점을 발견할 수 있었다. 성경적 가치관에 근거한 온정을 베푸는 보수주의였다. 선한 사마리아 사람과 같이 온정을 가지고 아무도 소외시키지 않고 모두를 포함하는 정치를 하겠다는 것과 평등과 존엄의 가치를 실현하는 보수주의 정치를 하겠다는 것이었다.

그날 저녁 축하파티에서 대통령과 영부인을 가까이에서는 만나지 못했다. 단지 먼발치에서 구경했을 뿐이다. 사실 나는 취임식 파티에 가면 대통령을 개인적으로 만날 수 있을 것으로 기대하고 흥분하고 있었다. 그러나 사람들이 너무 많아 불가능했고, 못내 아쉽기만 했다. 그러나 그 축하파티에서 트렌트 로트 공화당 상원 원내총무를 비롯한 지도자들을 만나 교제하게 되었다.

그 후 2주일도 안 되어 다시 백악관에 초청되었다. 부시 행정부의 장애인 정책 예산안을 의회에 제출하는 자리였다. 수십 명의 장애인 사업 관련 지도자들이 초청된 자리인데 단상에서 인사말을 하면서 맨 앞줄에 앉아있는 나를 보고 다가오셨다.

대통령 취임 후 첫 만남이었다. 그 자리에서 나는 부시 행정부의 기독교 신앙과 가치관에 근거한 온정을 베푸는 보수주의 정치 철학을 존중한다고 전제한 후 대통령과 국가를 위해 봉사하고 싶다는 의사를 분명히 했다. 특히 하나님의 형상에서 비롯된 평등과 존엄의 가치와 선한 사마리아인 비유에서 나온 아픔에 동참하는 온정, 완전한 참여와 통합의 가치 실현 정책에 절대적으로 공감한다고 하니까 "취임연설을 줄줄 외우시는군요."라고 하시며 무척 기뻐하셨다.

영부인께도 부시 전 대통령을 배경으로 세계 장애인 복지 증진에 기여하게 된 것을 소개하고 기회가 되는 대로 내통령께 나의 재능과 경험을 사용하시도록 말씀을 드려달라고 요청했다.

그러나 그때까지도 대통령 임명 절차나 방법에 관해 아무것도 몰랐다. 나는 대통령 취임식 축하 파티에서 트랜트 로트 공화당 상원 원내총무와 함께 찍은 사진을 보내 드리면서 임명 절차를 물어 보았다. 로트 의원은 내 이력서를 백악관 인사위원회로 전송했으니 직접 전화를 걸어 보라고 했다.

그래서 백악관 인사국에 전화를 걸었더니 장 · 차관을 포함해서 연방공직을 희망하는 사람들은 모두 소정의 양식을 이메일로 보내야 된다는 것이었다. 부시 전 대통령께도 이력서를 보내 드렸고 공화당 상원 원내총무께도 보내 드렸는데 다시 폼을 채워 이메일로 보내야 하느냐고 어이가 없어 반문했지만 소용이 없었다.

하는 수 없이 진영이에게 전화

대통령 취임식 축하 파티에서 트렌트 로트 공하당 상원 원내총무를 비롯한 지도자들을 만나 교제하게 되었다.

를 걸어 컴퓨터로 정해진 폼을 준비해 보내라고 했다. 그동안 부시 대통령 부자를 비롯 여러 친지들에게 연락해서 훗날 도움은 되었지만 절차를 몰라 시행착오를 겪은 것이었다.

나의 생활신조는 치밀한 계획, 과감한 실천, 냉철한 반성이었는데 준비하고 계획할 시간도 없었고 무엇보다도 사전지식이 없었던 것이 문제였다.

일단 지시에 따라 백악관 인사국에 폼을 채워 제출하니 가닥이 잡혀가기 시작했다. 대통령 임명은 한 자리만 받을 수 있다는 사실도 몰라서 처음에는 상원인준을 요하지 않는 종교 및 사회봉사 백악관 자문위원으로 임명받았다가 대통령 임명에 상원인준이 필요한 백악관 직속 국가장애위원회로 옮겨가게 되었다. 그런 사실도 뒤늦게 배우게 된 것이다.

백악관에는 인사국이 별도로 설치되어 인사행정 분야에서 대통령을 보좌하고 있는데, 백악관 부비서실장 겸 인사국장 클레이 존슨은 부시 대통령과 필립스 아카데미 동창으로 측근 중 하나이다. 텍사스 주지사 때도 존슨은 비서실장을 지냈다. 정부 부처별로 인사 부국장이 있어 부국장을 위원장으로 한 인사위원회에서 후보들의 자격을 철저히 심사한다. 그것이 첫 단계, 소위 말하는 "선택 단계"(Selection)이다.

선택 단계에서는 추천서가 필수적이다. 나는 그동안 활동해 오던 단체의 장들과 공화당 인사들의 추천서를 받아 제출했다. 세계장애위원회 부의장으로 함께 활동하는 딕 손버그 전 법무장관은 "……강 박사는 장애를 극복했을 뿐만 아니라 그것을 긍정적인 자산으로 변형시켰습니다. 또한 이민자로서 도전 정신을 심어주고 있기 때문에 장애인들뿐만 아니라 초기 이민 가족들에게도 모범이 됩니다."라고 했다.

내가 고문직을 맡고 있는 루스벨트 재단 윌리엄 벤덴휘벨 이사장은 "……봉사 정신과 독창적인 지도력으로 다른 사람들을 감화 감동시킵니다."라고 했다.

고위 공직자가 되기 위해서는 추천서가 필수적이다. 케네디 상원의원(왼쪽)과 벤덴휘벨 루스벨트 재단 이사장(가운데)도 나를 적극 추천해 주었다.

밥 돌 전 공화당 상원 원내총무, 트렌트 로트 현 공화당 상원 원내총무, 리처드 루거 연방 상원의원 등 정치인들도 이구동성으로 나의 조식력, 관리 능력, 탁월한 통찰력, 긍정적이고 적극적인 태도, 전문 지식과 경험 등을 들어 백악관 장애인 정책 차관보로 가장 적합한 인물이

라는 점을 강조했다. 프랭크 데블린 로터리 회장은 "시력은 없지만 미래에 대한 선명한 비전을 가진 지도자로서 로터리 세계에서는 신화를 창조한 전설적인 인물"이라고 했다.

나의 이력서와 추천서들을 접수한 후 클레이 존슨 백악관 인사국장은 나에게 고무적인 서한을 보냈다. 또한 그 편지에서 세 가지 선택 기준, 즉 능력, 도덕성, 전문성을 설명해 주어 도움이 되었다. 그로부터 3개월 정도 후 백악관 인사국에서 전화 한통을 받았다. 인터뷰를 하러 오라는 것이었다. 그때는 세 가지 선택 기준을 중심으로 인터뷰 준비를 할 수 있어 다행이었다.

인터뷰는 1시간 정도 진행되었다. 백악관에는 8명으로 구성된 법률고문단이 있는데 그중 한 변호사와 보건, 교육, 노동, 연금분과 인사 부국장이 질문을 하고

리처드 루거 상원 의원도 나를 추천해 주었다.

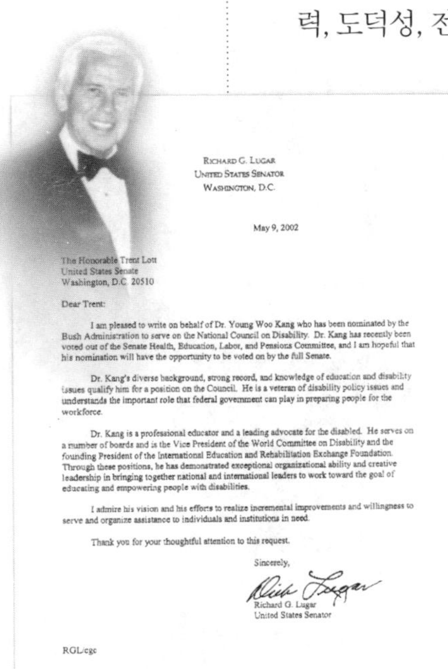

RICHARD G. LUGAR
UNITED STATES SENATOR
WASHINGTON, D.C.

May 9, 2002

The Honorable Trent Lott
United States Senate
Washington, D.C. 20510

Dear Trent:

I am pleased to write on behalf of Dr. Young Woo Kang who has been nominated by the Bush Administration to serve on the National Council on Disability. Dr. Kang has recently been voted out of the Senate Health, Education, Labor, and Pensions Committee, and I am hopeful that his nomination will have the opportunity to be voted on by the full Senate.

Dr. Kang's diverse background, strong record, and knowledge of education and disability issues qualify him for a position on the Council. He is a veteran of disability policy issues and understands the important role that federal government can play in preparing people for the workforce.

Dr. Kang is a professional educator and a leading advocate for the disabled. He serves on a number of boards and is the Vice President of the World Committee on Disability and the founding President of the International Education and Rehabilitation Exchange Foundation. Through these positions, he has demonstrated exceptional organizational ability and creative leadership in bringing together national and international leaders to work toward the goal of educating and empowering people with disabilities.

I admire his vision and his efforts to realize incremental improvements and willingness to serve and organize assistance to individuals and institutions in need.

Thank you for your thoughtful attention to this request.

Sincerely,

Richard G. Lugar
United States Senator

RGL/cgc

내 대답을 기록했다. 그 자리에서 부시 대통령 삼부자와의 오랜 인연도 다시 이야기되었고 내가 선택되어서 대통령께 승인 요청을 하게 될 것이라는 언질도 받았다. 이렇게 해서 전문가들로 구성된 인사위원회 첫 관문을 무사히 통과했다.

그 후 다시 한달이 지나 2001년 9월이 되었다. 백악관 법률고문단 사무실에서 대통령 지명자들의 생존 지침서(*Survivors Guide for Presidential Nominees*)라는 제목의 책과 40페이지로 된 FBI 배경조사 폼을 보내왔다. 174페이지에 달하는 지침서를 읽어보고 난 후에야 내가 대통령 임명과 상원인준 절차 네 단계 중 겨우 선택의 첫 단계와 대통령 내정자 지명의 둘째 단계를 통과했다는 사실을 알게 되었다. 후에 에드 모이 대통령 특보 겸 백악관 인사 부국장이 전하는 말에 의하면 내가 선택되어서 대통령께 보고되었을 때 반가워하시며 흔쾌히 열정을 가지고 승인하셨다고 한다.

이리하여 내정자로 선택되니 셋째 단계인 FBI의 철저한 배경조사가 시작되었다. 과거 행적은 물론 재정 상태, 세금, 건강, 정신 건강 등 8개 분야에 대해 조사를 하는데 3개월 정도가 소요되었다. 무엇보다도 미국 국적을 취득한 후 외국에 다녀온 것과 어디에 머물며 무엇을 했고 누구를 만났는지를 적는 폼에서 외국, 특히 한국을 매년 다녀온 사실 때문에 조사를 받는 데 애를 먹었다. 또한 활동범위가 넓다 보니 주위 인물들을 수십 명씩 인터뷰하는 것이었다. FBI에 몸담았었던 손버그 전 법무장관이 "강 박사보다 더 나은 사람은 생각할 수 없습니다."라고 했다 하여 그만하면 되겠지 했는데 끝까지 다른 사람들을 인터뷰했다.

그러다 2001년 12월 12일 드디어 연방 상원인준을 받기 위해 보내졌다. 조사가 진행되는 동안에는 너무 오래 끌어 짜증스럽기까지 했는데 셋째 단계인 "클리어런스 단계"(Clearance)를 통과하고 보니 그동안 법질서를 지키며 정직하게 살아온 자신이 자랑스럽게 느껴졌다. 하루하루 살면서 세금 낼 때는 세금 내고, 재산을 올바른 방법으로 정직하게 축적하고, 나쁜 사람들과 어울려 부도덕한 짓 안하는 평범한 사람들의 일상생활이 얼마나 중요한 것인지 실감하기도 했다.

백악관 법률고문 사무실 주도하에 FBI가 철저한 배경조사를 해서 상원으로 넘겼는데, 상원에서는 상원대로 별도 10페이지짜리 폼을 만들어서 다시 조사를 했다. 보건, 교육, 노동, 연금 분과 위원회 소위원회를 거쳐 전체 위원회 승인을 먼저 받아야 했다. 민주당 출신 에드워드 케네디 상원의원이 위원장이고 힐러리 클린턴 상원의원도 그 분과 위원이었다.

케네디 의원과 클린턴 의원은 전부터 친분이 있는 분들이었다.

클린턴 의원은 전에 영부인으로 있을 때 루스벨트 기념관 제막식과 관련해서 백악관에 초청된 적이 있는데 이후 연말이면 성탄카드를 교환해 왔다.

에드워드 케네디 상원의원과는 더욱 밀접한 관계이다. 케네디 의원의 누님이 정신지체자이고, 아들이 암으로 한쪽 다리를 절단하여 장애인으로서 변호사 활동을 하고 있다. 그래서 케네디 가문에는 정신지체 특수 올림픽을 시작한 분도 있고, 클린턴 행정부에서 아일랜드 대사를 지낸 진 케네디 스미스는 장애인 예술 재단을 창립, 수십 년 동안 운영하고 있으며, 조카인 윌리엄 케네디 스미스 박사는 재활의사로 국제재활센터를 창립해서 운영하고 있다.

1997년에는 케네디 상원의원이 루스벨트 4대 자유의 메달을 수상했는데 그때 함께 찍은 사진이 나에 관한 영문 기사에 게재되기도 했다. 2000년 여름에는 내가 회장으로 있는 국제교육재활교류재단 손님으로 진 케네디 스미스 대사와 윌리엄 케네디 스미스 박사가 내한하여 김대중 대통령을 함께 예방하기도 했다. 또한 진영이가 듀크법대에 재학할 때 케네디 상원의원을 모시고 입법 보좌관 인턴십을 했으니 이래저래 인연이 많은 상원의원이다.

케네디 상원의원은 장애인 사업과 관련 한국 전체적으로도 참으로 고마운 분이다.

1996년 당시 김영삼 대통령께서 첫 루스벨트 국제 장애인상을 수상했다. 당시 케네디 상원의원은 김영삼 대통령께 축하 서한을 보냈을 뿐만 아니라 미의회 상하 합동 위원회에서 한국 장애인 복지의 괄목할 만한 발전과 새롭게 지정된 "올해의 장애 극복상"을 소개하여 국위를 선양하는 데 도움을 주었다. 그 연설은 의회 기록으로 영구히 보관된다. 그 후 캐나다, 아일랜드, 헝가리, 태국의 원수들이 이 상을 수상했으며 2002년 9월 19일 유엔 본부에서 에콰도르의 구스타포 노보아 베자라노 대통령이 수상할 예정이지만, 그러한 사례는 없다.

부시 대통령 임명을 받아 케네디 상원의원이 보건, 교육, 노동, 연금 분과 위원회 위원장으로 투표에 붙여 6월 20일 만장일치로 승인을 받았다. 영광이 아닐 수 없다.

지침서에 보면 대통령 지명에서 상원인준까지 평균 반년이 걸린다고 되어 있다. 그러나 나의 경우 9.11 사태 이후 9개월 정도 걸렸다. 아마도 귀화한 미국인이라 조사할 것이 더 많았는지도 모르겠다.

국가장애위원회는 백악관 직속 연방정부 독립기구로서 대통령 임명을 받아 상원인준을 받은 15명의 위원으로 구성되어 있다. 일명 장애인 정책 차관보라 불리며 임기는 3년으로 매해 5명씩 교체된다. 임무는 미국 5천 4백만 장애인들에게 영향을 미치는 정책을 개발하여 대통령께는 3개월에 한번씩 추천하고 의회에는 1년에 한번씩 보고하는 것이다. 다시 말하면 연방정부 장애인 정책을 만들어 대통령과 의회에 추천하고 연방정부 각 부처에 장애인 정책 총고문 역할을 수행한다. 뿐만 아니라 장애인 정책에 관한 한 유엔을 비롯한 국제기구에서는 미국 입장을 대표하는 유일한 연방정부 기관이다.

국가장애위원회 상주 직원은 14명이며 연간 예산 270만 달러로 운영된다. 14명의 상주 직원 가운데는 실장급 한 명과 국장급 두 명이 포함되어 있으며, 변호사 한 명, 공인회계사 한 명, 박사 학위 소지자 연구원 두 명 등이 포함되어 사무 지원을 해주고 있다.

나의 계획 중 하나는 국가 장애인 정책 수립 과정에 다른 선진국들의 성공 사례를 많이 참작하기 위해 국제 교류를 증진시키는 것이다. 그러한 계획의 일환으로 영국의 맹인 내무부 장관 데이비드 블렁킷을 초청해 놓고 있다. 블렁킷 장관은 선천적 맹인이지만 다선 국회의원으로 노동장관과 교육장관을 거쳐 내무장관이 되었으며 차기 영국 내각 수반으로 물망에 오르고 있다.

앞으로 나는 미국 5천 4백만 장애인들은 물론 전세계 6억 장애인 복지 증진에 기여할 수 있는 정책을 만들기 위해 최선을 다할 것이다. 또한 한국계 미국인으로서 대통령을 접견하는 자리에 있는 만큼 교민사회는 물론 조국 발전에 전력을 기울일 생각이다.

국회 의사당 앞에서

2부

정상을 꿈꾸는 이들에게

창조주가 천지만물을 창조하면서 유독 인간만 그분의 형상대로 창조하셨다. 다른 동물들은 결코 그렇지 않았다. 그러한 차이 또는 특권이 인간으로서 자부심과 자긍심을 갖게 하는 이유이다.

1

인간으로서 자긍심을 가지라

사람은 사람이 만든다

태도와 가치는 만들어진다

교육 현장에서 교육자들을 대상으로 조사한 바에 의하면 중요성에 따라 순위를 정했을 때 1순위를 차지한 것이 자긍심이었다. 자신을 어떤 존재로 평가하고 생각하느냐가 타고난 무한한 잠재력을 어느 정도 개발하느냐에 가장 큰 영향을 미친다는 뜻이다.

1
인간으로서 자긍심을 가지라

사람은 사람이 만든다

1950년대 말 아이젠하워 행정부 때 있었던 일이다. 소련이 인류 최초로 인공위성 스푸트니크호를 발사하여 세상을 깜짝 놀라게 했다. 냉전 상태에 있는 소련이 인공위성을 발사할 수 있는 과학기술을 가지고 장거리 미사일을 개발해서 미국 대도시를 공격하거나 극비의 군사 정보를 정탐해 가면 어쩌나 하는 두려움과 우려가 팽배해져 급기야는 아이젠하워 대통령이 국가 위기를 선언하고 대책을 강구하기에 이르렀다.

그 무렵 부통령이었던 닉슨과 민주당의 존 케네디 상원의원이 아이젠하워 대통령 후임 자리를 놓고 치열한 경쟁을 했다. 근소한 차이로 결국은 케네디가 승리하여 미국 역사상 최연소 대통령으로 취임을 앞두고 있었다. 미국을 우주 경쟁에서 앞지른 소련을 어떻게 따라잡을 것인가, 또한 바닥까지 떨어진 국민의 사기는 어떻게 회복하고 팽배되어 있는 불안감은 어떻게 해소할 것인가가 관건이었다.

그러한 문제를 안고 35대 대통령으로 1961년 1월 20일 취임하게 된 케네디는 취임연설에서 "……국가가 당신을 위해서 무엇을 할 수 있는가를 묻지 말고 당신이 국가를 위해 무엇을 할 수 있는지 물으십시오. ……국가가 당신을 위해서 무엇을 할 수 있는지 묻지 말고 당신이 세계 시민들과 세계 평화를 위해 무엇을 할 수 있는지 물으십시오."라고 했다. 그리고 취임한 지 두 달도 안 된 그해 3월, 현재까지도 활동하고 있는 평화봉사단을 창설했다.

케네디 대통령은 임기 중이던 1963년 11월 텍사스 달라스에서 저격당했다. 그러니까 겨우 2년 반 정도 대통령직에 있었던 것이고, 벌써 세상을 떠난 지 40여 년이 흘렀다. 그런데 최근 여론조사에 의하면 아직도 케네디는 현대 미국인들의 최고의 영웅 중 하나로 자리잡고 있다. 그는 위대한 업적을 남길 충분한 시간도 없었다. 취임연설이 가장 큰 영향을 미쳤다는 분석이다. 그러면 웅변적으로 취임연설을 했기 때문일까? 그것도 아니다.

그 연설이 국민들의 생각과 마음을 움직여 영향을 미치고 변화를 주었기 때문이다. 사람들의 생각이 바뀌어 새로운 세상을 보게 된 것이다. 무사안일주의로 국가가 주는 혜택이나 기다리던 많은 사람들, 특히 젊은이들의 생각이 바뀌게 되었다. 자신을 보는 눈도 완전히 달라졌다. 아무런 사명도, 명백한 목적의식도 없이 하루하루를 살던 수많은 젊은이들이 국가와 세계 시민들과 평화를 위해 무엇인가 할 수 있다는 자신의 잠재력과 가능성을 보는 기회가 된 것이다. 그래서 젊은이들이 평화로운 세상을 꿈꾸며 그들이 가진 기능, 지식, 경험을 바탕으로 자부심과 긍지를 가지고 세계 도처로 흩어져 평화봉사단 단원으로 봉사했다.

케네디는 우주 경쟁에서 소련에게 뒤졌기 때문에 생긴 국민들의 불안과 공포를 생각의 방향을 바꾸게 함으로 해결했다. 다시 말하면 소련을 의식하지 않고 미래의 새로운 세상을 볼 수 있도록 유도했던 것이다. 비교 경쟁하지 않고 미래의 새로운 비전과 꿈을 갖도록 하는 케네디 대통령의 고유한 지도력이었다.

"향후 10년 후에는 반드시 인간이 달나라에 갈 수 있을 것입니다!"

케네디는 또한 이처럼 확신에 찬 장기 계획을 발표했다. 당시는 과학기술이나 예산이 뒷받침된 상황이 전혀 아니었다. 그리고 그 후 2년 남짓해서 케네디 대통령은 비극적으로 세상을 떠나게 되었다. 그러나 그 계획이 발표된 지 정확히 10년 후인 1971년, 닐 암스트롱이 달에 인간 최초로 내림으로써 케네디가 국민들에게 심어준 미래의 새로운 세상은 현실로 이루어졌다.

케네디

교육학적인 관점에서 말하면 케네디 대통령은 그의 취임연설을 통해 국민들, 특히 젊은이들의 자화상을 바꾸고 자긍심을 불어넣어 주었다고 할 수 있다. 교육에서 자화상과 자긍심은 대단히 중요하다. 교육 현장에서 교육자들을 대상으로 조사한 바에 의하면 중요성에 따라 순위를 정했을 때 1순위를 차지한 것이 자긍심이었다. 자신을 어떤 존재로 평가하고 생각하느냐가 타고난 무한한 잠재력을 어느 정도 개발하느냐에 가장 큰 영향을 미친다는 뜻이다.

"당신은 누구이며 어디서 왔다가 어디로 가는가?"

이 쉽고도 어려운 질문에 분명한 대답을 가진 사람은 인간으로서의 자부심과 자긍심을 느낄 수 있을 것이다. 아마도 3명 중 1명은 하나님의 형상대로 창조되었기 때문에 자신도 그렇다고 할 것으로 추정된다. 이것은 세계 60억 인구 중 구교가 10억이고 개신교 신도가 10억이라는 데 근거를 둔 계산이다.

이러한 생각과 자긍심과는 가장 밀접한 상관관계가 있다는 것이 이미 오래 전 밝혀졌다. 하버드 법대에서 법학박사가 되고 오스틴 소재 텍사스대에서 교육학박사가 된 윌리엄 베네트가 레이건 행정부에서 교육부 장관을 할 때였다. 올바른 자화상을 가지고 인간으로서의 자긍심과 자부심을 가진 학생들이 성공률이 높다는 데 착안, 자긍심을 높이는 방법에 관한 연구를 하게 했다. 그랬더니 자신과 하나님의 형상을 연결시켜 생각하는 학생들의 자긍심이 가장 높았고 따라서 성적도 가장 우수했다고 한다.

구체적으로 말해 전지전능한 창조주의 형상대로 지음받았기에 무한한 잠재력을 가지고 이 땅에 태어났다고 믿는 것이다. 그리고 존귀한 하나님의 형상대로 지음받았기에 나도 존귀하고 평등하다는 것을 믿고 행동하는 것이다. 이렇게 할 때 타고난 무한한 가능성을 최선을 다해 개발해야 하는 의무와 책임과 사명이 있다는 것을 연결해서 생각하게 된다.

창조주가 천지만물을 창조하면서 유독 인간만 그분의 형상대로 창조하셨다. 다른 동물들은 결코 그렇지 않았다. 그러한 차이 또는 특권이 인간으로서 자부심과 자긍심을 갖게 하는 이유이다.

21세기 세계화 시대를 주도하는 부시 행정부 통치 철학도 바로 여기에서 비롯되었다. 그래서 하나님의 형상대로 지음받은 모든 인간은 인종, 국적, 신조, 성별, 경제적 부의 차이에 상관없이 평등하고

자신과 하나님의 형상을 연결시켜 생각하는 학생들의 자긍심이 가장 높았고 따라서 성적도 가장 우수했다.

존귀하다는 사실을 토대로 정책을 입안하려고 노력하고 있다.

나는 초등학교를 졸업할 때까지 시골에서 살았다. 어린 시절에는 개구리도 잡고 진달래도 꺾으며 산으로 들로 돌아다니기를 좋아하여 공부를 소홀히 했다. 그래서 어머니는 "공부를 열심히 해야 힘든 농사 안 짓고 면서기라도 해먹지."라고 하시곤 했다.

또한 방과 후 친구들과 축구도 하고 뛰어노느라 저녁 먹는 것도 잊고 돌아오지 않으면 걱정이 되어 찾으러 나오셔서는 "숙제는 언제 하니? 이것아, 공부해서 남 주니? 다 너를 위해서 그러는 건데……." 하시며 혀를 차시곤 했다.

교육가가 되어 어린 시절을 회상하면서, 그때 어머니께서 나에게 하나님의 형상대로 지음받은 인간으로서의 자부심과 자긍심을 심어 주고 남과 사회를 위해 공부하라고 하실 수도 있었을 텐데 하는 공연한 생각을 해보기도 했다.

그런데 어린 자녀들에게 자신감과 자긍심을 길러줄 때는 반드시 지적 발달과 관련해서 기억해야 할 것이 있다. 하나님의 형상은 아주 추상적인 개념이다. 만 14세 미만 아이들은 추상적인 하나님의 형상을 제대로 이해할 지적 능력이 부족하다. 그러므로 구체적인 방법을 가르쳐 주어야 한다.

스위스의 아동 심리학자 피아제는 지적 발달단계를 크게 전조작기, 구체적 조작기, 형식적 조작기로 나누었다. 그에 의하면 전조직기인 7세까지는 논리적 사고가 어렵고 초등학교 시절에는 구체적인 방법으로만 논리적 사고가 가능하다. 추상적 논리는 만 12세에서 14,5세 사이에 발달하기 시작한다. 때문에 인간의 자긍심과 하나님의 형상을 연결시켜 개인적 의미를 발견하게 해주는 데는 무리가 있다. 지적 발달 단계에 알맞은 방법을 쓰는 것이 무엇보다 중요하다.

진석이와 진영이를 양육하는 과정에서도 초등학교 시절 인간으로서 무한한 잠재력을 가지고 태어나 그것을 최대로 성취할 사명과 의무와 책임이 있다는 생각을 심어 주는 것이 가장 어려운 과제 중 하나였다. 그 개념이 추상적이라 구체적인 방법과 예로 명쾌한 의사전달을 하기가 어려웠기 때문이있다.

그러던 어느 날 네 식구가 함께 도서관에 갔다. 참고열람실에서 네 식구의 생일에 각각 어떤 명사들이 태어났는지 찾아보기로 했다. 그랬더니 진석이 생일인 4월 23일은 대문호 셰익스피어가 태어난 날이었고, 진영이 생일인 6월 15일은 영국 여왕 엘리자베스 2세가 태어난 날이었다. 또한 아내 생일인 5월 29에는 케네디 대통령이 태어났고 내 생일에는 민권지도자였던 마르틴 루터 킹 목사가 태어났다.

그 자료를 가지고 진석이에게 너도 셰익스피어처럼 훌륭한 사람이 될 수 있다고 했다. 진영이에게도 엘리자베스 2세와 생일이 같으니 너도 성장해서 훌륭한 인물이 될 수 있다고 했다. 그랬더니 신바람이 나서 동네 친구와 교회 친구들에게 자랑을 해대는 것이었다. 그만큼 자신을 중요한 존재로 인식하고 미래에 대한 자신감을 얻게 된 것이다.

이 세상에는 역사 속에 흔적을 남긴 인물들이 헤아릴 수 없을 만큼 많다. 그들도 모두 1년 365일 중 어떤 날에 태어났다. 그러므로 자녀의 생일에 태어난 위인을 찾는 것은 그리 어려운 일이 아니다.

또 하나 부모들이 기억해야 될 것은 자녀들의 기를 죽이지 않는다고 버릇을 잘못 들여 다른 사람을 깔보고 교만한 아이로 키우는 경우가 종종 있다는 것이다. 자신감과 자긍심을 길러 준다는 것은 인간의 평등과 존엄성을 전제로 할 때 극대화할 수 있다. 자존감과 교만은 크게 차이가 있다.

진석

진석이는 지금 의학박사로 안과 전공의이다. 미국 최고 명문고교인 필립스 엑서터 아카데미를 거쳐 하버드대를 나왔다. 그러나 초등학교, 중학교 시절에는 자신감과 자긍심이 부족해서 위축된 채 열등감에 사로잡혀 힘들어했다. 열등감은 초등학교 3학년 때 시작되었다. 먼스터 학군에서는 영재학급과 일반학급을 나누어 교육했는데 영재아 판별에서 탈락되었던 것이다.

1년 후를 바라보고 내가 직접 나서서 열심히 준비시켰다. 학교 가기 전 시간을 절약해서 문제집을 가지고 지도해 주기 위해 스쿨버스 타는 것도 포기하고 아내에게 차로 데려다 주게 했다. 그러나 그러한 노력도 허사였다. 진단과 처방이 잘못되었기 때문이다. 학습능력에 문제가 있었던 것이 아닌데 붙들고 가르치려 했기 때문에 실패한 것이었다.

문제는 자신감과 자긍심 부족에 있었다. 그런데 그 문제의 심각성을 그 당시에는 제대로 이해하지 못했기 때문에 진석이는 별 볼일 없는 보통 학생으로 초등학교를 마치게 되었다.

새벽에 공부하자고 하면 "아빠, 저는 영재학급에 들어갈 정도로 머리가 좋은 아이가 아니예요. 제가 아빠 아들이니까 머리가 굉장히 좋다고 생각하시는 것 같은데 그게 아니라구요. 진영이가 잘해서 이미 영재아로 판명되었으니 진영이나 기대하세요!"라고 하곤 했다. 그때 가정교사처럼 공부를 가르칠 것이 아니라 상실된 자신감과 자긍심을 회복할 수 있게 도와주었더라면 시행착오는 없었을 것이다.

자녀들에게 자긍심을 길러줄 때는 지적 발달과 관련해서 기억해야 할 것이 있다. 만 14세 미만 아이들은 추상적인 개념을 제대로 이해할 지력이 부족하다. 그러므로 구체적인 방법을 가르쳐 주어야 한다.

중학교에 들어간 후 진석이에게 크게 두 가지 변화가 있었다. 어느 날 "아버지가 옳았고 제가 틀렸어요. 저도 할 수 있어요. 저에게 주어진 기본 능력을 최대로 개발해서 의사가 되어 아버지 눈을 고치겠다는 어릴 때 꿈을 꼭 실현하겠어요."라고 하는 것이었다. 그것은 커다란 내적 변화였는데, 그러한 변화는 지적 발달 단계에서 형식적 조작기에 이르러 추상적 논리가 가능하게 되었기 때문에 일어난 것이었다. 그 무렵 외적인 변화도 뒤따르게 되었다. 어느 날 학교에서 돌아온 진석이가 미래문제해결팀을 만들고 싶은데 코치를 해줄 수 있겠냐는 것이었다.

미래문제해결이란 폴 토렌스 창의력 검사도구의 저자인 토렌스 박사가 애틀랜타 빈민 지역 학생들의 창의력을 개발하기 위해서 시작한 것인데 전국적으로 활용되고 있다. 토렌스 창의력 검사는 유창성, 융통성, 독창성, 정교성으로 나누어지고 다시 이 4가지 창의력은 언어와 도형으로 구별되니 모두 8가지가 되는 셈이다.

아이디어가 많은 사람은 유창성이 높은 증거이며 많은 아이디어들을 공통성에 따라 카테고리별로 분류를 잘하는 사람은 융통성이 높다는 증거이다. 독창성은 무에서 유를 창조하는 것이 아니라 다른 사람들이 가지지 않은 자신만의 독특한 아이디어를 가지는 것이다. 정교성은 뼈에 살을 붙이는 것으로 어떤 아이디어를 육하원칙(누가, 언제, 어디서, 무엇을, 왜, 어떻게)에 따라 정리하는 능력이다.

미래문제해결은 미래의 어떤 문제를 선정하여 네 명을 한팀으로 해서 2시간 동안 유창성, 융통성, 독창성, 정교성을 발휘해서 해결방안을 찾게 하는 것이다. 4가지 창의력 분야에서 합쳐진 총점이 최고 높은 팀이 일등을 하게 된다. 학업성취에서 창의력은 지능보다 중요하다. 다시 말하면 지능 지수가 높은 학생보다 창의력 점수가 높은 학생이 공부를 더 잘한다는 말이다.

여하튼 진석이가 나에게 코치를 부탁했을 때 나는 기꺼이 수락했다. 이미 그 프로그램에 대한 지식을 가지고 있기도 했지만 진석이의 자화상을 바꿀 수 있는 좋은 기회가 될 수 있을 것이라는 생각에서였다.

우선 진석이에게 나머지 세 명을 선정하는 몇 가지 기준을 정해 주었다. 첫째는 전학년에서 능력과 성적이 가장 우수한 친구들, 둘째는 신앙과 가치관이 유사한 친구들, 셋째는 양친이 자녀교육에 큰 관심을 가지고 참여하는 친구들을 선택하도록 했다.

그렇게 선택한 팀원은 전학년에서 5등 안에 들어있을 뿐 아니라 초등학교에서부터 영재교육을 받은 학생들로 정해졌다. 진석이는 일반학급에서 교육을 받았지만 그 사실은 진석이 외에는 아무도 모르고 있었다. 다른 초등학교를 졸업한 아이들이었기 때문이다.

진석이 팀은 지역에서 일등을 하고, 전 인디애나에서도 3등 안에 들었다. 워낙 우수한 아이들로 구성되어 있었기 때문에 그 팀이 수학경

연대회에도 나가 지역에서 일등, 인디애나 전체에서 2등을 하였다. 그랬더니 당시 연방 상원 외교 분과 위원장으로 있던 리처드 루거 상원의원이 격려의 서신까지 보내 주셨다.

무엇보다도 이를 통해 진석이의 자화상은 완전히 바뀌게 되었다. 영재교육을 받았던 같은 팀 친구들에 비해 자신이 뒤떨어지지 않는다는 사실을 인식한 후 자신감과 자긍심이 회복되었던 것이다. 또한 루거 의원의 격려 서신도 사명감과 자신감을 북돋아 주는 데 도움이 되어 그 후 1년도 못 되어 전과목 A를 받아 일등을 하게 되었다.

루거 상원의원은 나를 부시 행정부에 추천하신 분 중 한분이며, 상원인준 과정에서도 보건, 교육, 노동, 연금 분과위원회를 통과해 본회 통과를 앞두고 있을 때 적극적으로 도와주셨는데 바로 진석이의 미래문제해결팀 코치를 맡았을 때 알게 된 것이었다.

진석이의 도전정신과 자아개념의 향상은 장기적인 것이었다. 진석이는 먼스터 고등학교에서 공부도 잘하고 과외활동 특히 연설과 토론에서 이름을 날리다가 더 높은 꿈을 향해 성공할 수 있으리라는 확신을 가지고 필립스 엑서터에 전학하게 되었다. 그러나 처음에는 자신의 능력을 과대평가하고 그곳 학생들의 상대적인 능력을 과소평가한 탓에 전학한 지 일년이 지나도 생각대로 성적이 나오지 않자 좌절을 거듭하게 되었다. 하지만 미래에 대한 자신감과 자긍심이 손상되지는 않았다. 이미 그때 자신의 정체성을 정립했기 때문이었다.

에릭 에릭슨은 인간의 발달단계를 자궁에서 무덤까지 8단계로 나누었다. 그중 제5단계인 십대 청소년기는 자신의 정체성을 확립하는 단계이다. 에릭슨은 정체성을 "동일시하는 것"(Identifying)이란 동명사와 같은 것으로 설명한다. 다시 말하면 자기 자신을 누구 또는 무엇과 동일시하면서 자신의 정체성을 확립해 나간다는 것이다.

우리 부부는 아들들에게 한국인 또는 미국인으로서의 민족적 정체성에 앞서 하나님의 형상대로 지음받은 평등하고 존귀한 인간으로서의 정체성을 갖도록 노력했다. 그리고 우주만물을 창조하신 하나님의 형상대로 창조되었기 때문에 무한한 잠재 능력을 가지고 태어났다고 가르쳤다.

진석이가 어렸을 때는 논리적 사고가 부족해서 정체성 확립이 힘들었지만 발달 연령과 맞물려 확고한 자화상을 정립하고 도전정신으로 미래를 향해 정진했기 때문에 초등학교 시절 거듭된 실패에도 불구하고 하버드대를 거쳐 의학박사가 되기에 이른 것이다.

프랭클린 루스벨트

워싱턴에는 네 분 역대 대통령의 기념관이 있다. 나라를 세운 초대 대통령 조지 워싱턴, 독립선언문을 만든 토머스 제퍼슨, 노예를 해방시킨 에이브러햄 링컨, 그리고 최근에 세워진 2차 세계대전의 영웅 프랭클린 루스벨트의 기념관이다.

루스벨트 기념관은 1997년 5월 2일 제막식을 가졌고 2001년 1월 10일 루스벨트 장애인 동상이 퇴임을 열흘 앞둔 클린턴 대통령에 의해 세워졌다. 그러면 왜 이 두 가지 건축이 따로 이루어졌을까?

처음에는 1930년대 미국을 뉴딜정책으로 경제대공황에서 구출하고 2차 대전을 승리로 이끈 치적 중심으로 기념관을 열었다. 그러나 뉴딜정책이 나와 경제공황을 해결하고 언론과 표현의 자유, 신앙의 자유, 빈곤으로부터의 자유, 공포로부터의 자유 등 4대 자유원칙을 내세워 2차 대전을 승리로 이끌게 된 루스벨트의 인간적인 배경이 그 기념관에는 제대로 나타나지 않았다는 의견이 대두되었다.

루스벨트는 39세 때 소아마비 장애인이 되어 이후 23년 동안 하반신 마비로 휠체어에 의존하여 살았다. 그러니까 역사상 유례가 없는 4선 대통령으로 일하던 중 1945년 4월 12일 유엔창립기념 연설문을 준비하다가 뇌출혈로 타계할 때까지 휠체어에서 통치한 것이다. 그런데 그 기념관에는 그러한 흔적이 없어 장애인계에서 논란이 시작되었고 점차 확산되어 전 · 현직 대통령들을 포함한 정치인들까지 공감하게 되었다. 결국 이 안건은 의회를 통과하고 클린턴 대통령이 서명하여 루스벨트 장애인 동상이 추가로 건립되게 된 것이다.

세로 세워진 휠체어에 앉은 루스벨트 동상에 새겨진 엘러너 루스벨트 여사의 말이 인상적이다. "……그의 질병은 그를 강인하게 만들었으며 남의 아픔에 동참하는 마음을 가지게 했을 뿐만 아니라 인내심을 기르게 했다." 이 말은 시각장애인들을 위해 점자로도 새겨져 있다.

루스벨트는 휠체어에 앉아 미국을 통치했다. 그런데 기념관에 그러한 흔적이 전혀 없어 장애인계에서 논란이 일어났고 많은 사람들 역시 공감했다. 그 결과 클린턴 대통령의 승인을 얻어 루스벨트 장애인 동상이 세워지게 되었다.

성취와 성공은 비슷하게 쓰이기도 하지만, 성취는 주관적이고 성공은 객관적이라는 점에서 다르다고 할 수 있다. 학업성취와 관련하여 태도는 지능보다 더 중요하다는 것이 정설이다. 뿐만 아니라 지능은 80%가 유전이고 20%가 환경적 요인에 의해 결정되지만 태도는 전적으로 학습되는 것이다. 그러한 교육학적 관점에서 루스벨트 대통령의 업적과 정치철학을 분석해 보면 재미있다.

프랭클린 루스벨트는 명문 공화당 가문에서 태어났다. 부친은 하버드대 출신 부장판사였다. 그런데 상처를 하게 되어 전처에게서 태어난 장남을 데리고 재혼하게 되었다. 프랭클린은 그 사이에서 태어나 나이 차가 많은 부모 밑에서 자랐다. 공화당 소속 26대 시어도어 루스벨트 대통령은 그의 먼 친척 아저씨이자 처삼촌이었다. 이처럼 그는 온통 공화당에 둘러싸여 있었다. 그럼에도 불구하고 그는 공화당의 정치철학과 배경을 계승하지 않고 민주당 대통령으로서 위대한 업적을 남겼다. 그래서 루스벨트는 수많은 공화당원들에게 배신자로 호된 비판을 받았으며 증오의 대상이 되기까지 했다.

일반적으로 공화당은 납세부담을 줄여 세금 낼 돈을 자유롭게 투자하게 하는 정치철학을 가지고 있어 부유층과 기업인들에게 유리하다. 반면 민주당은 세금을 많이 거두어 그 돈으로 저소득층이나 가난한 사람들에게 재분배하는 프로그램을 많이 추진하기 때문에 저소득층과 젊은층의 지지를 많이 받는다. 경제대공황 때 정부가 막대한 예산을 들여 뉴딜정책을 시행, 엄청난 고용을 창출한 것은 민주당 정책의 좋은 본보기이다. 그 유명한 루스벨트의 4대 자유도 인간의 기본적인 자유를 잃고 억눌리고 소외되고 가난한 사람들에게 초점을 맞춘 것이다.

부시 대통령이 취임 후 "악의 축"에 북한을 포함시켜 일부 한국인들의 심기를 불편하게 한 적이 있는데, 사실 "악의 축"이란 발언은 2차 대전 때 루스벨트 대통령이 독일, 일본, 이탈리아를 두고 한 말이다. 그는 1941년 1월 6일 미의회에서 악의 축에 점령되어 자유를 잃고 억압받고 소외되어 가난과 공포에 떨고 있는 세계 시민들을 위해 언론과 표현의 자유, 숭배의 자유, 빈곤으로부터의 자유, 공포로부터의 자유가 지배하는 세상을 만들기 위해 미국이 2차 대전에 참전해야 한다고 주장했던 것이다.

또한 루스벨트는 유엔 창시자로 추앙받고 있다. 그가 주장한 4대 자유가 지배하는 세상이 되기 위해서는 국제기구가 필요하다고 믿어 유엔을 창립하기에 이른 것이다. 세상을 떠나기 3개월 전인 1945년 1월 그는 자신의 죽음을 예측했다고 한다. 의회에서 연설하면서 그것이 마지막이라는 언질을 했다는 것이다. 그럼에도 불구하고 운명하는 순간까지 유엔창설기념 연설문 원고를 정리하다가 뇌출혈로 타계한 것이다.

그는 20세기의 영웅이었다. 20세기 미국 대통령 중 유일하게 워싱턴에 기념관이 세워진 것이 이를 잘 입증해 준다. 그는 2차 세계대전을 연합군 승리로 이끌었고 유엔을 창립했으며 경제공황에서 미국을 구했다. 그런데 그러한 위대한 업적이나 공로도 자신의 태도와 가치관 변화에서 비롯된 것이었다. 그의 동상에 새겨진 부인의 말을 생각해 보라.

"루스벨트의 실병은 그를 강인하게 만들었으며 남의 아픔에 동참하는 마음을 가지게 했을 뿐만 아니라 인내심을 기르게 했다."

– 엘러너 루스벨트

그는 질병을 통해 결코, 결코, 결코 포기하지 않는 끈기와 인내심을 길렀고, 가난하고 병든 사람들, 약한 사람들을 긍휼히 여기는 마음을 가지게 되었으며, 불가능에 도전하는 용기를 가지게 되었다.

전기에 소개된 다른 측근들의 증언에 의하면 그는 장애로 인해 인간관이 바뀌게 되었으며 대인관계에서 보다 겸허하고 친절한 자세를 취하게 되었다고 한다. 공화당 명문가에서 태어나 기득권자들이나 부유층의 권익을 보호하고 개인의 책임과 자유를 중시하는 보수적인 가치관을 가졌던 루스벨트에게 소아마비가 감염되어 하반신 장애인이 되니 그의 인생관이 변화하게 된 것이다.

그가 쓰러지자 측근들은 하나같이 그의 정치 생명은 끝났고 설령 재활이 성공한다 하더라도 공백 기간 때문에 정계 복귀는 힘들 것이라고 보았다. 그러나 그는 사재의 2/3를 들여 화씨 88도를 항상 유지하는 온천물이 나오는 조지아주 웜스프링에 재활센터를 세우고 그곳에서 재활 치료를 받기 시작했다. 그것이 미국 최초 재활병원이 되었다.

그는 다리에 힘이 생겨 홀로 서서 연설을 할 수만 있으면 정계 복귀를 하겠다고 결심하고 갖가지 치료방법을 연구하고 실험하면서 치료를 받았다. 시행착오를 거듭하면서 연구와 치료를 계속해 나갔는데 그것이 새로운 문제 해결 방법을 과감히 활용하고 모험심을 기르는 계기가 되었다고 한다.

"사람들이 그것은 불가능하다고 속삭이는 동안
그 불가능은 이미 가능하게 되었다." -헬렌 켈러

재활 치료의 투쟁은 참으로 길고 외로운 것이었다. 한 달이 지나고 두 달이 지나 일곱 번 해가 바뀌는 동안 결코 포기하지 않는 끈기와 지구력이 개발되었으며, 그 지역 농민들과 많은 시간을 보내면서 서민들의 애환을 이해하고 아픔에 동참하는 가치를 습득하게 되었다.

전기에 소개된 일화에 의하면 백악관 직무실 불이 자정이 넘어도 꺼지지 않는 게 이상하여 둘째 아들 엘리어트가 가 보니, 아버지를 침실로 옮겨드릴 경호원이 잠이 들었는데 깨우지 않고 그때까지 기다리고 있었다고 한다. 그 경호원이 다음 날 해고된 것은 당연지사였다. 이 일화에서 볼 수 있듯이 그의 참을성은 대단했다.

이와 같이 루스벨트는 성인이 된 후 장애인이 되어 남은 생을 사는 동안 심성이 변하고 가치관이 변했다. 그러나 혹 부정적으로 변할 수도 있기 때문에 장애를 극복하고 긍정적인 자산으로 변형시키는데 주력할 것이 요망된다. 루스벨트웜스프링스재활센터 정문 왼쪽에는 헬렌 켈러의 말이 새겨져 있다.

"사람들이 그것은 불가능하다고 속삭이는 동안 그 불가능은 이미 가능하게 되었다."

루스벨트는 다리에 힘이 생겨 홀로 서서 연설을 하게 될 때 정계 복귀하겠다는 계획이 불가능하게 생각될 때마다 "헬렌 켈러는 삼중 장애를 가지고도 대학을 졸업했는데"라고 자신을 채찍질하며 힘을 얻고 용기를 얻었다고 한다.

태도와 가치는 만들어진다

이처럼 생각, 특히 자신에 대한 생각이 바뀌면 새로운 세상을 볼 수 있다. 루스벨트는 자신의 장애를 통해 새로운 세상을 발견했다. 모험, 용기, 신앙, 온정, 끈기, 인내 등 고귀한 인간의 가치관을 가지게 되었고, 침대나 목욕탕에 가는 데도 도움이 필요할 정도로 중증 장애인이었지만 생명의 존귀성과 자존감을 뼈저리게 새길 수 있었다. 그 결과 4대 자유가 지배하는 아름다운 세상을 볼 수 있었던 것이다.

태도와 가치 교육은 지적 발달과 상관없이 태아에서 무덤에 이를 때까지 이루어질 수 있다. 왜냐하면 정서발달의 일부이기 때문이다. 그러나 교육의 성과는 어릴수록 크다. 다시 말하면 취학전 아동기, 초등학교, 중학교로 올라갈수록 성과가 줄고 성인이 되면 더 어렵다.

"세 살 버릇 여든까지 간다"는 속담은 취학전 아동의 태도와 가치관 교육의 중요성을 잘 표현해 주고 있다. 한 가지 기억해 두어야 할 것은 지적 발달단계 중 7세 전 전조작기에는 논리적 사고가 불가능하므로 동화책을 읽어주거나 들려주는 것이 가장 좋은 방법이다. 무엇보다도 부모가 생활 속에서 본을 보이는 것이 최선의 교육방법이다. 성인이 된 후 심성이 변하기를 바라는 것보다 취학전 아동기에 인격이 형성되도록 의도적인 교육을 하는 것이 최선의 투자인 것이다.

결론적으로 인간으로서 자부심과 자긍심을 가지도록 하는 성경의 지혜를 소개하고자 한다. "아비들아 너희 자녀를 격노케 말지니 낙심할까 함이라"(골 3:21)에는 현대 교육의 3대 원리가 포함되어 있다.

"아비들아." 첫째, 자녀교육은 아버지도 함께 해야 한다. 하나님이 자기 형상대로 인간을 창조하시되 남자와 여자를 다르게 만드셨다. 남자는 우월하고 여자는 열등하게 만드신 것이 아니라 서로 다르게 만들었다는 말이다. 남자의 머리는 보다 논리적이고 분석적인 데 반해 여자의 머리는 언어적인 면이 뛰어나다. 또한 여자는 보다 섬세하고 이해심과 인내심이 많으며, 남자는 의지력, 지구력 등이 강하다. 요컨대 가정에서 아버지는 머리 역할을 하고 어머니는 따뜻한 가슴 역할을 하기에 적합하도록 되어 있다. 그러니 자녀교육 특히 정의적 영역에서 태도 교육은 양친이 각자 강점을 살려 함께 하는 것이 좋다.

"자녀를 격노케 말지니." 둘째, 자녀를 화나게 하면 안 된다. 화가 나는 경우를 일반화하면 채워져야 할 욕구가 거절당했을 때이다. 인간은 태어나서 죽을 때까지 발달하고, 그 발달과정에서 신체적, 지적, 사회 정서적인 발달욕구를 가지며, 발달연령에 따라 알맞은 방법으로 그것이 충족되어야 한다. 제대로 충족되지 못하면 격노하게 되는 것이다.

아기는 배가 고프면 운다. 충족되어야 할 신체적 욕구가 있기 때문이다. 그러나 우유를 먹는 아이라면 냉장고 여는 소리를 듣고 울음을 그친다. 지적으로 이제 냉장고 문이 열리는 소리가 들렸으니 우유가 와서 나의 욕구가 충족될 것이라는 판단 능력이 있기 때문이다. 그러나 시간이 흘러도 우유가 안 오면 다시 화가 나서 울기 시작한다. 또한 기저귀가 젖어 울다가 발자국 소리가 나면 울음을 그친다. 이제 누군가 와서 기저귀를 갈아 줌으로써 신체적 욕구를 충족시켜 줄 것으로 기대하기 때문이다. 그래서 아이의 욕구를 울기 전에 충족시켜 주면 울리지 않고 기를 수 있다는 사실도 입증되었다.

요컨대 격노하지 않게 하기 위해서는 발달연령에 따라 변화하는 신체적, 지적, 사회적, 정서적 발달욕구를 제대로 충족시켜 주면 된다는 말이다. 자녀의 변화하는 발달욕구에 따라 부모의 방법도 변해야 한다. 자녀는 변화하는데 부모는 변하지 않고 똑같은 방법으로 발달욕구를 충족시켜 주려고 한다면 부모 자녀간 갈등은 피할 수 없다.

"낙심할까 함이라." 셋째, 자녀를 낙심하게 하면 안 된다. 교육은 크게 지적 영역, 정의적 영역, 심리 운동 영역으로 나누는데, 영어성경에서는 이 구절이 "심력을 떨어뜨릴까 또는 용기를 꺾을까 두렵다"로 되어 있다. 삼대 영역을 균형 있게 기르는 것이 바람직하지만 그중에서도 심력이 가장 중요하다. 심력 중에서도 자신감과 자긍심을 길러주어 모험심을 가지고 미지의 세계를 향해 나가도록 해야 한다. 이는 교육학에서 검증된 진리이다. 지력이 중상 정도만 되어도 심력이 강하면 영재로 길러질 수 있다. 심력을 길러주는 정의적 영역에서 자신감과 자긍심이 가장 중요하다는 것도 검증된 진리이다.

성공을 꿈꾸는 젊은이들이여, 자부심과 자긍심을 가지라!

그리고 자녀들이 자존감을 느끼고 자신감을 가지고 성장하도록 양육하라!

(여기서 젊은이라 함은 육체적인 나이를 말하는 것이 아니라 미래에 대한 선명한 비전을 가진, 마음이 젊은 사람들을 뜻한다. 20-30대라도 꿈꾸지 않는 사람은 젊은이가 아니요, 60-70대라도 생각이 젊고 끊임없이 도전하는 사람은 젊은이인 것이다.)

2

미래에 대한 확신을 가지고 불가능에 도전하라

ADA 12돌 기념행사

손버그

내가 만난 한국 대통령

내일의 성취는 오늘의 비전과 꿈으로 결정된다

인간은 누구나 이 세상에 태어날 때 무한한 잠재능력을 가지고 태어난다. 얼마나 큰 믿음을 가지고 불가능에 도전하는 용기를 보여 주는가에 따라 성취의 크기가 결정되는 것이다. 꿈꾸는 이들이여, 큰 믿음을 가지라! 믿는 만큼 불가능에 도전할 용기와 힘이 생기기 마련이다. 그리고 이 세상에는 당신과 똑같은 믿음을 가진 사람들이 많이 있어서 함께 더 큰 역사를 이루어 갈 수 있다.

2
미래에 대한 확신을 가지고 불가능에 도전하라

ADA 12돌 기념행사

2002년 7월 26일 백악관에서는 부시 대통령 주최로 특별행사가 있었다. 바로 아버지인 부시 전 대통령이 12년 전인 1990년 7월 26일 서명하여 발효되기 시작한 미국 장애인 민권법이라 불리는 ADA 12돌 기념행사였다.

부시 대통령 부자의 정치 철학이 유사한 것은 미국 장애인들뿐만 아니라 전세계 장애인들을 위해서도 무척 다행스러운 일이다. 41대 아버지 부시 대통령은 ADA 제정 통과를 가장 자랑스러운 국내 업적이었다고 오늘날까지도 주저하지 않고 말하고 있다. 그런가 하면 아들 부시 대통령은 취임하고 2주도 못 되어 그 법의 정신을 생활현장에서 뿌리

내리기 위해 10억 예산을 의회에 요청했으며, 이번에 다시 특수 아동들의 교육의 질을 향상시키기 위해 10억 달러 예산 승인을 요청했다.

그 행사에는 현직 관계 장관들은 물론 12년 전 부시 행정부 관계 장관들과 상하원 의원들도 초청되었다. 나에게도 참으로 감개무량한 시간이었다. 대통령 임명을 받아 상원인준을 거쳐 국가장애위원회 위원으로 동참하게 된 것도 특별한 의미를 가지는데 그곳에서 손버그 전 법무장관과 밥 돌 전 공화당 상원 원내총무 등 동료와 친지들을 만날 수 있었기 때문이다.

그 행사 기념사에서 부시 대통령은 "권력은 지위에서 오는 것이 아니라 당신이 믿고 있는 것에서 오는 것입니다. 오늘 우리가 ADA 12주년을 기념하게 된 것도 나의 부친 행정부 딕 손버그 법무장관, 밥 돌 상원 원내총무 등 여러분들이 장애인들의 권리에 대한 확신을 가지고 불가능하게만 생각되었던 것에 도전했었기 때문입니다."라고 했다. 아버지 부시 대통령은 1994년 내가 회장으로 이끌고 있는 국제교육재활교류재단 주최 장애인 재활 국제 학술대회 기조연설에서 "ADA가 암시하는 메시지는 누구든지 큰 꿈을 가지면 이룰 수 있다는 것입니다." 라고 했었다.

나는 연방정부 고위 당국자인 애시크라프트 법무장관, 일레인 차오 노동장관 등과 어깨를 나란히 하고 미합중국 대통령이 주관하는 행사에 참석할 수 있으리라고는 꿈에도 생각지 못했다. 그러나 그것은 현실이었다. 그것을 가능하게 한 힘은 내가 믿고 있는 하나님으로부터 온 것이었다. 내가 능력 주시는 자 안에서 나도 할 수 있다고 큰 믿음을 가지게 되니까 장애인의 완전하고 평등한 참여라는 불가능에 도전하게 된 것이다.

인간은 누구나 이 세상에 태어날 때 무한한 잠재능력을 가지고 태어난다. 얼마나 큰 믿음을 가지고 불가능에 도전하는 용기를 보여 주는가에 따라 성취의 크기가 결정되는 것이다.

꿈꾸는 이들이여, 큰 믿음을 가지라! 믿는 만큼 불가능에 도전할 용기와 힘이 생기기 마련이다. 그리고 이 세상에는 당신과 똑같은 믿음을 가진 사람들이 많이 있어서 함께 더 큰 역사를 이루어 갈 수 있다. 산골짜기를 흘러내려오는 물줄기를 생각해 보라. 작은 물줄기가 흘러내려오다 다른 물줄기들을 만나 큰 강물이 되고 결국에는 바다가 된다. 마찬가지로 큰 믿음을 가지고 홀로 인생을 살다가 공감하는 사람들을 만나 함께 가게 되면 쉽게 큰 바다로 들어갈 수 있다. 그러한 원리가 내게도 작용하여 역사의 방관자의 위치에서 역사 창조를 이루어가는 세계에서 가장 강력한 사람들 중에 당당히 끼게 된 것이다.

자유민주주의 국가에서 재벌의 아들은 재물을 물려받아 재벌이 될 수 있다. 그러나 대통령의 아들은 권력을 승계받아 대통령이 될 수 없다. 그것은 왕국에서나 가능한 일이다. 그러나 미국에서도 때때로 권력이 승계되는 경우가 있다. 물론 선거를 통해서이다. 그러한 가문을 흔히 왕조라고 부르는데, 부자가 대통령이 된 부시 왕조, 처삼촌과 조카가 대통령이 된 루스벨트 왕조, 대사, 대통령, 주지사, 상하원 의원 등으로 권력을 3대에 걸쳐 이어오는 케네디 왕조 등이 있다.

이들 가문과 나와는 유사점을 찾기가 어렵다. 그러나 그들은 나의 친구요 동지가 되었다. 왜냐하면 장애인과 비장애인이 완전 통합되어 함께 더불어 살아가는 편견 없고 차별 없는 아름다운 세상을 만들고 싶다는 동일한 꿈을 가지고 있기 때문이다. 그들의 정치 철학은 다르다. 부시 가문은 공화당이고 케네디와 루스벨트 가문은 민주당이다. 그러나 장애인들의 완전하고 평등한 참여라는 이상 실현에 대한 믿음이 같기 때문에 함께 공동의 역사를 창조할 수 있었던 것이다.

ADA가 상원을 통과할 때는 에드워드 케네디 상원의원이 주도했고, 루스벨트 기념관 내 장애인 동상 건립을 위해 모금을 할 때는 부시 전 대통령이 명예의장을 맡았다.

내가 비록 육신의 빛은 잃었지만 그래도 하나님께서 주신 소중한 생명이기에 최선을 다해 아름다운 꽃을 피우고 열매를 맺어야 한다는 믿음이 없었다면 오늘 이 자리에 있게 한 친지들을 감동시키지는 못했을 것이다.

집권당인 공화당에서는 손버그 전 법무장관, 밥 돌 전 공화당 대통령 후보가 추천했으며 트렌트 로트 상원 원내총무와 리처드 루거 상원의원이 적극 밀어 주었다. 민주당에서는 유엔 대사를 역임한 벤덴휘벨 루스벨트 재단 이사장과 상원 보건, 교육, 노동, 연금 분과 위원장인 에드워드 케네디 상원의원이 적극 밀어 주어 초당적인 지원을 받을 수 있었다.

그런데 재미있는 것은 그들 모두가 ADA 제정 통과의 주역들이라는 것이다. 그 법이 통과될 때 나는 이미 박사로, 교수로 왕성한 사회활동을 하고 있었지만 그들이 하는 일과는 무관했다. 때문에 1990년 7월 26일 41대 대통령이 그 법에 서명할 때는 백악관 초청은커녕 그런 성대한 의식이 있다는 사실도 몰랐다. 그런데 1994년, 오늘에 이르게 하는 두 가지 직접적인 사건이 있었다. 하나는 부시 전 대통령께서 나의 요청으로 한국 장애인 선교와 교육 백주년 기념행사에서 하신 기조연설을 통해 장애인 완전 통합과 참여에 대한 그분의 믿음과 꿈을 알게 된 것이고, 다른 하나는 딕 손버그 전 법무장관 가족의 감동적인 스토리를 가이드포스트에서 읽고 그분의 고유한 사명과 꿈을 알게 된 것이다.

기조연설에서 부시 전 대통령은 임기 중 베를린 장벽이 무너지고 소련이 붕괴한 것은 외교 정책의 가장 큰 소득이었으며 ADA를 제정 통과시킨 것은 국내 정책의 가장 큰 업적으로 자랑스럽게 생각한다고 말씀하셨다. 그 연설을 통해 5천 4백만 장애인의 문제가 국내 정책에서 그토록 큰 비중을 차지할 수 있다는 사실을 처음으로 알게 되었다. 그 후 동지의식이 느껴져 그분을 친구로 생각하고 다가갈 수 있었고, 시각장애인으로서 편견 없고 차별 없는 아름다운 세상을 만드는 꿈을 가지고 살아온 것이 자랑스러웠다.

손버그

손버그 법무장관은 그 스토리를 읽기 20년 전 피츠버그대 대학원 학생일 때 잠시 만난 적이 있다. 그 당시 그분은 서부 펜실베이니아 지역 연방검사장이었다. 어느 날 비가 억수같이 쏟아져 한손에는 우산을, 다른 한손에는 지팡이를 들고 가방을 어깨에 멘 채 수업을 받으러 강의실로 가고 있었다.

사거리에 도달해 길을 건너려고 기다리고 있는데 차가 한 대 서더니 타라고 하는 것이었다. 보통 때 같으면 사양했겠지만 비가 너무 많이 와서 고맙다고 하면서 탔다. 그랬더니 자신을 검사장이라고 소개하는 것이었다. 너무 고마워서 어떻게 검사장이 지나가는 맹인을 보고 이렇게 친절을 베풀 수 있느냐고 물었더니 기독교인의 남의 아픔에 동참하는 마음 때문이라고 했다.

그런 일이 있은 지 20여 년 후, 그분의 인간 스토리를 통해 나와 똑같은 믿음과 꿈을 가지고 인생을 사시는 것을 알게 되었다. 뿐만 아니라 그분들은 큰 믿음을 가지고 불가능에 도전하여 승리했다는 사실도 알게 되었다.

검사장 시절 자동차가 한 대밖에 없어서 부인이 출퇴근을 시키고 낮에는 집안일로 차를 사용했다고 한다. 그런데 어느 날 남편을 출근시키고 고속도로를 통해 돌아오는 길에 술에 취한 운전사가 모는 트럭에 부딪혀 크게 사고가 났다. 부인은 중상을 입어 병원으로 옮겨지는 동안 사망했고, 뒤에 있던 네 살짜리와 두 살짜리 두 아들은 경상을 입는 데 그쳤지만, 조수석에 앉혔던 4개월짜리 셋째 아들 피터는 두뇌 손상을 입어 여러 차례 수술로 목숨은 건졌지만 정신 지체 장애인이 되었다.

그러한 엄청난 불행을 당하고 4년 후 현재의 부인과 재혼하여 가정은 외적으로는 정상화되었다. 그러나 정신 지체가 된 셋째 아들을 양육하는 과정에서 생기는 갈등과 문제는 한 두 가지가 아니었다. 무엇보다도 장애인들에 대한 부정적인 태도의 장벽이 너무나 높았다.

손버그 전 법무장관은 1978년 공화당 후보로 당시 미국에서 네 번째로 인구가 많은 펜실베이니아 주지사로 당선되었고 4년 후 재선되어 모두 8년 임기 동안 장애인들 앞에 가로놓인 여러 가지 장벽을 제거하는 데 성공했다.

피터가 정신 지체아가 되기 전에는 그러한 장벽을 전혀 모르고 살았는데 피터를 통해 그런 문제들을 느끼게 된 것이다. 심지어는 하나님의 사랑의 집인 교회에 가는 데에도 문제가 있었다. 교회에서조차 반기지 않았던 것이다. 건강한 아들들이 어쩌다 교회에 오지 않으면 왜 안 왔느냐고 이 사람 저 사람 안부를 물어도, 피터가 보이지 않으면 안부도 묻지 않았다. 이것은 손버그 부부에게 너무 큰 마음의 상처가 되었다. 하지만 불가능에 도전하는 강한 믿음을 심어주었다.

먼저 하나님의 집으로 가는 것을 막는 장벽부터 없어져야 한다고 생각했다. 그래서 교회에서 장애인들과 함께 예배를 드리는 운동을 시작했다. 첫 장애인 통합예배에는 겨우 13명이 참석하여 무척 실망했다고 한다. 그러한 편견과 차별의 장벽을 무너뜨리는 것은 계란을 바위에 던지는 것처럼 불가능한 과제로 생각되기도 했다고 한다. 그러나 포기할 수도, 포기해서도 안 되는 운동이었기에 법무차관을 마치고 펜실베이니아 주지사 출마를 하게 되었다.

1978년 공화당 후보로 당시 미국에서 네 번째로 인구가 많은 펜실베이니아 주지사로 당선되었고 4년 후 재선되어 모두 8년 임기 동안 장애인들 앞에 가로놓인 여러 가지 장벽을 제거하는 데 성공했다. 주지사 퇴임 후 하버드대 케네디 행정대학원장으로 1년 재직하다가 41대 부시 대통령 임명으로 법무장관이 되었다. 그래서 미국 장애인 민권법이 제정 통과되는 데 산파역을 담당할 수 있었던 것이다.

12년 전 오늘 부시 전 대통령이 ADA에 서명하면서 이제 장애인들과 비장애인들 사이에 놓인 장벽이 무너졌다고 외쳤을 때 손버그 장관은 이렇게 감사 기도를 드렸다고 한다.

> "저에게 힘겨운 고난의 십자가를 주신 줄 알았는데 그것은 고난의 십자가가 아니었습니다. 정신 지체가 된 아들 피터를 통해 저에게 새로운 믿음과 꿈을 주시고, 그 사명과 꿈을 이루는 길을 열어 주셨으며, 도구를 마련해 주셨습니다. 이제 저의 사명은 완수되고 놀라운 꿈은 실현되었습니다. 감사합니다!"

한편 하버드대 교육대학원 출신인 부인은 종교계에서 장애인 통합운동을 계속하면서 성공을 거두고 있다. 미 전국장애인법인 내에 종교와 장애국을 만들어 국장으로 20여 년 활동한 결과 수천 개의 개

"꿈을 가진 모든 미국인들이 그 꿈을 이루는 수단을 가질 때까지 우리는 결코 노력을 중단해서도 안 되며 중단하지도 않을 것입니다."
– 41대 부시 대통령

신교, 천주교, 유대교 교회와 종교 단체들이 장애인 환영에 동참하는 결과를 일구어 낸 것이다. 최근에 부시 현 대통령이 의회에 승인을 받기 위해 제출한 새로운 예산 안에는 종교 활동 통합에 필요한 지원도 하도록 되어 있다. 한 가정에 발생한 비극을 통해 아름다운 꿈이 이루어진 것이다.

내가 8년 전 그 스토리를 읽은 후 접촉함으로 인해 우리는 함께 미지를 향한 긴 여행을 떠나 오늘에 이르러 백악관 행사에 함께 참석하게 된 것이다. 그동안 백악관에 자주 드나들었고 손버그 장관과 함께 있었던 것도 이번이 처음은 아니다. 그러나 내가 미국 정부 최고 공직자로 참석하게 된 것은 처음이며 그것이 또한 ADA 12주년 기념행사이기 때문에 더욱 감개무량하고 특별한 의미를 가지는 것이다.

뿐만 아니라 아버지가 서명하고 아들이 그 큰 꿈과 믿음을 이어받아 이루어가는 역사 창조 대열에 당당히 끼어있다는 것이 너무나 자랑스러웠다. 부시 현 대통령은 기념연설에서 12년 전 아버지가 법안 서명식에서 한 말을 그대로 인용하여 "꿈을 가진 남녀노소 모든 미국인들이 그 꿈을 이루는 수단을 가질 때까지 우리는 결코 노력을 중단해서도 안 되며 중단하지도 않을 것입니다."라고 해서 갈채를 받았다.

처음 손버그 가족의 스토리를 읽고 그로부터 20년 전 비 오는 날 한 맹인에게 베풀어준 친절을 생각하면서 과연 나를 기억하실까 하는 생각이 먼저 들었다. 전화를 걸어 나를 기억한다면 확신을 가지고 불가능을 가능하게 한 그 아름다운 이야기를 고국에 가서 전해 달라고 부탁드리고 싶었다. 무엇보다도 착하게 살아가는 사람들에게도 때로는 비바람이 불어닥칠 수 있다는 진리를 전한다면 불행으로 위축되어 죄의식마저 느끼면서 일생을 하나님을 원망하면서 살아가는 이들에게 위로가 되고 힘과 용기를 더해 줄 수 있겠다는 생각이 들었다.

그뿐만이 아니었다. 인구 천만이 넘는 펜실베이니아 주지사를 두 번이나 역임하고, 세계 최대 강국인 미국에서 법무장관을 지냈으며, 미국인으로 유엔에서 최고 자리인 행정 사무차장을 지내신 분을 앞세운다면 한국 지도층을 계몽하고 움직일 수 있겠다는 생각도 들었다.

그래서 약간 긴장되고 떨리는 마음으로 전화를 걸었다. 피츠버그 대학 캠퍼스 근방에서 동양 맹인 학생을 도와주는 일이 흔한 것은 아니라 세월이 많이 흘렀어도 나를 기억하실 것만 같았다. 내 예상은 빗나가지 않았다. 비서의 말을 듣고 전화를 받은 손버그 전 장관은 아주 친절하고 반갑게 대해 주셨고 내외분을 한국에 초청했더니 나의 두 가지 목적에 공감하시고 흔쾌히 수락하시는 것이었다.

그해 12월 12일과 13일 양일간 문화방송 특집극 "눈먼 새의 노래"가 방영되어 각계의 호평을 받았다. 그래서 방영된 지 두 달 후인 1995년 2월에 그 작품을 국제 텔레비전 페스티발에 출품하기 위해 문화방송에서 영어 자막을 더빙했는데 내게도 비디오를 보내 주었다. 그 비디오를 가지고 워싱턴에 있는 손버그 자택을 방문했다.

그날은 공교롭게도 손버그 전 장관의 셋째 아들 피터가 주말을 맞이하여 집에 와 있었다. 피터는 만 18세가 되기 전 학령기에는 집에서 동네 공립학교 특수학교에 통학하면서 교육을 받았지만, 19세부터는 그룹홈에 살면서 포장되어 있는 각종 식품을 분류하는 단순 노동을 하고 주일에는 교회에서 봉사도 한다. 한달에 한번씩 집을 방문하는데 마침 우리가 방문한 주말에 온 것이었다.

피터가 19세가 되어 그룹홈에서 다른 정신 지체자들과 살기 위해 집을 떠날 때 손버그 전 법무장관은 주지사 맨션에서 가장 호사스런 생활을 할 때였다고 한다. 그래서 아들을 떠나보내는 마음이 더욱 쓰리고 아팠지만 그것이 모두를 위해 가장 올바른 결정이라 생각하여 그렇게 했다고 한다.

그날 저녁을 먹고 손버그 부부와 피터와 우리 내외가 함께 그 비디오를 시청했다. 그런데 그 드라마가 끝나고 에필로그에 부시 전 대통령이 나오니 손버그 내외가 깜짝 놀라는 것이었다. 그로 인해 그분들은 그 작품을 더욱 사랑하게 되었고 그해 12월 3일 유엔 국제 장애인의 날 행사 후 유엔 본부에서 부트로스 갈리 당시 유엔 사무총장을 비롯한 유엔 지도자들이 보실 수 있도록 주선해 주셨다.

그날 비디오를 보고 거실에서 차를 마시며 피츠버그에 살 때의 아름다웠던 추억들도 나누고 4개월 후에 있을 한국 방문에 대한 계획을 세웠다. 대화 중 혹시 한국 지도층 인사들과 교분이 있으면 그 명단을 달라고 했다. 그랬더니 펜실베이니아 수지사, 법무장관, 유엔 사무차장 시절 공적으로 만났던 한국 정계 지도층 인사 일곱 분의 명단을 주셨다. 첫 번째가 노태우 전 대통령이었고 마지막이 유종하 전 유엔 대사였다.

그래서 1991년 노태우 대통령과 면담을 주선해 주었던 피츠버그대 대학원 선배이신 김학준 박사께 다시 연락하여 연희동 자택을 방문했다. 유종하 전 유엔 대사는 청와대 안보수석으로 자리를 옮겨 직접 편지를 써서 청와대 주소로 보냈다. 그랬더니 팩스로 답신을 보내 주었다. 유엔 대사 시절 손버그 전 장관에게 신세를 졌다는 것이다. 그래서 김영삼 전 대통령과의 면담이 주선될 수 있었다. 김대중 당시 아태재단 이사장 동교동 자택에도 초청받아 방문했다.

결국 일주일 체재하는 동안 대한민국 전직, 현직, 미래 대통령 세 분을 다 방문했을 뿐 아니라, 정대철 의원께서 수십 분의 정계, 언론계, 외교계, 법조계 인사들을 초청, 간담회를 주선해 주셔서 한국 지도층의 장애인에 관한 고정관념에 새로운 변화를 일으켜보겠다는 소기의 목적이 성공적으로 달성되었다.

내가 만난 한국 대통령

노태우 대통령

이번 기회에 전 · 현직 한국 대통령 세 분을 만났을 때 받은 느낌을 잠깐 이야기하겠다.

노태우 대통령은 면담시간을 초과하여 대화하는 진지한 태도를 보여 주시어 깊은 인상을 받았다.

노태우 대통령은 내가 아내와 공저한 어둠을 비추는 한 쌍의 촛불을 보시고 감동해서 나에게 편지도 하시고 "아픔을 국민과 함께"라는 글귀가 새겨진 도자기를 시카고 총영사관을 통해 보내주시기도 했다. 1991년 30분으로 예정되었던 면담시간을 초과하여 40분 정도 대화하는 진지한 태도를 보여 주시어 깊은 인상을 받았으며, 헤어질 때 "자랑스러운 두 아들과 사랑하는 아내에게 안부 전해주세요!"라고 덧붙여 주신 말씀은 지금까지 따뜻하게 마음에 남아있다.

그해 연말에 인사 편지를 보냈는데 수석 비서관들을 대동하고 천사원을 방문하여 원생들

에게 격려사를 하시면서 "……시각장애인으로 미국에서 활동하는 강영우 박사의 편지를 받고 마음이 움직여 오늘 여러분들을 이렇게 찾아왔습니다."라고 하셨다는 말을 전해 듣기도 했다.

또한 4월 20일 장애인의 날 오후 관계자들과 장애인들을 청와대에 초청한 자리에서 "헬렌 켈러와 스티븐 호킹 박사와 한국이 낳은 강영우 박사를 장애를 극복한 분들로 가장 존경합니다."라고 해서 그 자리에 참석했던 조일묵 재활협회 회장이 일부러 전화를 주시기도 했다.

김영삼 대통령

김영삼 대통령은 내가 손버그 내외와 함께 예방하기 전에 소아마비 장애인 김용준 전 대법관을 헌법재판소 소장으로 임명했다. 그래서 처음 뵈었을 때 "손버그 장관 내외분을 한국에 모시고 나올 정도이니 대단하십니다."라고 하신 후, 김용준 헌법재판소 소장을 임명하실 때 아무도 예상 못했고 측근들 반대도 심했지만 잘하실 것으로 믿고 결정하셨다고 장애인에 대한 소신을 피력하셨다.

또한 장애인 대학 특례 입학제도가 마련되어 서울대를 비롯한 국립대학에도 장애인들이 차별을 받지 않고 들어갈 수 있다고 하셨다. 그러한 만남으로 인해 한국이 루스벨트 국제 장애인상 첫 수상국이 되는 꿈을 이룰 수 있었다.

1995년 6월 17일 청와대 방문을 마치고 나오면서 손버그 전 장관이 세계장애위원회에 들어와 활동해 보라고 제안하셨다. 큰일을 해 낼 수 있는 선명한 비전을 가진 사람이라고 칭찬도 아끼지 않으셨다. 그러나 나는 자신이 없어 사양했다. 그랬더니 뒤에서 밀어줄 테니 한번 해보라는 것이었다.

그래서 그해 7월 손버그 부의장 추천과 지원으로 세계장애위원회 위원이 되었고 1년 뒤에는 부의장이 되어 봉사하게 되었다. 위원들 중에는 2차 대전 때 상이용사가 되어 장애인 복지 증진을 목적으로 돌 재단을 창립 운영하는 밥 돌 전 상원 원내총무, 중국 문화혁명 때 홍의병들에 의해 장애인이 된 등소평의 아들 등부방 중국 장애인협회 회장, 지체장애인으로 일본 국회의원이 된 이타 야시로 의원 등 세계적인 장애인 지도자들이 포함되어 있다.

그로 인해 밥 돌 내외분과도 교제하게 되어 부시 대통령 임명을 받을 때 추천서를 받을 수 있었다. 2000년 3월에는 아내와 둘째 아들과 함께 등부방 회장 초청으로 베이징에 가서 유엔 장애인 인권헌장 초안을 만드는 데 참석하고 당 중국 외교장관도 만났다. 결국 공산당 돈으로 중국에 다녀온 셈이니 젊은 날에는 꿈에도 상상할 수 없었던 불가능한 일이 이루어진 것이다.

내가 유엔 세계장애위원회에 들어가던 1995년은 유엔 창립 50

주년이자 유엔 주창자인 루스벨트 대통령 타계 50주년이 되는 뜻 깊은 해였다. 그래서 이 두 가지를 동시에 기념하기 위해 유엔 장애인 행동계획에 따라 괄목할 만한 장애인 복지 발전을 가져온 나라의 국가 원수에게 루스벨트 대통령 흉상을 조각한 상을 주고 선정된 나라 대표 장애인 단체에 5만 달러를 상금으로 주기로 했다. 그로부터 매년 유엔 본부에서 코피 아난 유엔 사무총장 등 유엔 지도자들이 대거 참석한 가운데 세계장애위원회와 루스벨트 재단은 공동으로 루스벨트 국제 장애인상을 시상한다.

나는 첫 번째 상이 대한민국에 가야 한다고 굳게 믿었다. 수개월 전 손버그 장관 내외분과 김영삼 대통령을 방문했을 때 대통령으로부터 들었던 말씀과 천대와 차별 속에서 눈물로 보낸 과거를 떠올렸기 때문이다. 그래서 나는 다시 한번 불가능에 도전하기로 결심했다.

김영삼 대통령은 반대를 무릅쓰고 소아마비 장애인 김용준 전 대법관을 헌법재판소 소장으로 임명하는 등 장애인 정책에 관심을 쏟았다. 그러한 성과를 인정받아 제1회 루스벨트 국제 장애인상을 수상했다.

내가 처음 루스벨트 국제 장애인상 첫 수상국은 대한민국이 되어야 한다고 말을 꺼냈을 때 손버그 장관을 제외한 다른 분들은 모두 농담으로 받아들였다. 선진국과 비교해서 상대평가를 한다면 그것은 말도 안 되는 제안이었을 것이다. 그러나 유엔 장애인 행동계획을 절대 기준으로 과거와 현재를 비교, 절대평가를 한다면 한국이 충분히 받을 수 있었다.

내가 대학 입학시험을 치렀던 1968년에는 시각장애인 고등교육의 선구자적 역할을 담당했던 연세대에서도 입학원서조차 받아 주지 않았다. 그러나 김영삼 대통령께서는 이제는 장애인 대학 특례 입학 제도가 생겨 서울대를 비롯한 국립대학도 갈 수 있게 되었다고 했다. 미국에서도 교육에서 장애인 입학을 차별하지 못하게 하는 특례 입학 제도는 없다.

1972년 내가 도미 유학을 떠날 때만 해도 문교부 해외 유학 시험을 보는 데 장애는 결격사유로 되어 있었다. 그러나 한국도 장애인 특수교육, 고용 촉진, 복지 등에 관한 법적 제도가 마련되었다. 뿐만 아니라 내가 한국 최초 시각장애인 박사가 되어 고국에 돌아가 강단에 서려고 했던 1976년에는 시각 장애인 박사를 선뜻 교수로 채용해 주는 대학이 없었다. 그런데 대법원장과 동등한 서열인 헌법재판소 소장 자리에 소아마비 장애인이 임명되었으니 얼마나 큰 발전인가?

"두려워하지 말라. 마음속에 있는 공포 외에는 두려워할 것이 아무것도 없다!" - 루스벨트

어느새 7년 세월이 흘러 대한민국에 이어 캐나다, 아일랜드, 헝가리, 태국, 에콰도르 등이 선정되어 루스벨트 국제 장애인상을 수상했다. 그러나 한국이 신징될 때처럼 만장일치로 열정적인 지지를 받지는 못했다. 뿐만 아니라 김영삼 대통령 수상연설은 유엔 제3위원회에서 공식문서로 채택되어 모든 유엔 회원국 정상들에게 배포되어 국위를 선양하고 국가 외교에 도움이 되었다.

한편 미국 내에서는 클린턴 대통령과 당시 밥 돌 공화당 대통령 후보 등 지도층에서 애정 어린 축하서신을 보냈을 뿐 아니라 케네디 상원의원은 의회에서 한국의 눈부신 경제성장과 비교하여 이에 걸맞는 사회 복지 증진을 소개, 의회 기록으로 영원히 남아 있다.

케네디 의원은 연설에서 김영삼 대통령이 상금 5만 달러를 기초로 국회에서 10억원 예산을 승인받아 "올해의 장애 극복상" 기금을 만들어 매년 장애인의 날 각 분야에서 선정된 장애인들에게 대통령 메달과 5백만 원의 상금을 주기로 한 것을 높이 평가

해서 의회 지도자들을 감동시켰다.

루스벨트 국제 장애인상 첫 수상국이 된 한국에서는 그 후 1년 동안 참으로 많은 가시적인 발전이 있었다. 예를 들면 보건복지부 장애인 재활과가 장애인 심의관실로 승격하고 새로운 과도 하나 더 생기게 되었으며 장애인 복지기금도 전년도에 비해 40%가 증액되었다.

김대중 대통령

1995년 6월 16일 손버그 내외와 함께 김대중 아태재단 이사장 자택에 초대받아 갔을 때 있었던 일이다. 그로부터 11년 전인 1984년 나는 시카고에서 친지의 소개로 김대중 이사장을 잠시 뵌 적이 있다. 그런데 댁에 들어서서 인사를 하는데 나를 기억하셨다. 혹시나 해서 어디서 만났는지 기억하시느냐고 여쭤보니까 시카고에서 만났었다고 정확히 기억하시는 것이었다.

대화 중에 손버그 장관은 한국방송협회 대상을 받은 "눈먼 새의 노래"를 보셨느냐고 물었다. 그랬더니 보지 못했는데 보고 싶다고 하셨다. 그래서 마침 가지고 있던 비디오테이프를 전해드렸다. 또한 대화 중에 장애인에 대한 관심이 특별하다고 하시며 개인적으로 가톨릭 맹인선교회를 도우셨고 한신대 재활학과에 1억원을 지원하기도 했다고 하셨다. 장애인들에 대한 애정과 재활에 대한 큰 믿음을 엿볼 수 있었다.

그 만남이 있은 지 3년이 지난 1998년 8월 우리 내외는 자랑스러운 재외 동포로 선정되어 청와대에서 김대중 대통령의 환영을 받게 되었다. 노태우 대통령 면담 결과 청와대의 상징적인 지원으로 사회복지법인 국제교육재활교류재단이 탄생했고, 김영삼 대통령 면담 결과 한국이 루스벨트 국제 장애인상 첫 수상국이 되었기 때문에 나는 장애인 재활을 통한 국제이해와 세계평화에 대한 큰 믿음과 꿈을 가지고 갔다.

대통령 환영사가 끝나고 대한민국 정부수립 50주년 기념 자랑스러운 재외 동포 모국 방문단을 대표해서 독일에서 오신 이수길 박사의 답사가 있은 후 영문으로 된 나의 활동 기사를 드렸다. 그 기사에 실린 사진은 노벨평화상 수상자 조디 윌리엄스 여사와 케네디 대통령의

김대중 대통령은 장애인들에 대한 애정과 재활에 대한 큰 믿음을 가지고 계셨다.

조카 윌리엄 케네디 스미스 박사와 함께 찍은 것이었다. 그 기사를 드리면서 짝수해에는 외국인에게 홀수해에는 미국인에게 주어지는 루스벨트 4대 자유의 상에 대해 설명드리고 추진하겠다는 제안을 했다.

아마 그 일이 성사되었으면 국제이해와 세계평화에 기여하는 또 하나의 꿈을 실현시켰을지도 모른다. 클린턴 행정부 때라 예정대로 수상할 수 있었으면 한미관계와 국제관계에 크게 도움이 되었을 것이다. 그러나 애석하게도 2000년 5월 네덜란드 헤이그에서 있었던 시상식에서 수상 연설을 하실 수 없었기 때문에 다른 분이 수상하게 되었다.

그 후에도 김대중 대통령과 이희호 여사는 청와대에서 두 번 더 뵐 기회가 있었다. 2000년 7월에는 케네디 상원의원께서 먼저 정중하게 편지를 드린 후 클린턴 행정부에서 아일랜드 대사를 역임한 그분의 친누님 진 케네디 스미스 대사와 조카 윌리엄 케네디 스미스 박사와 함께 예방했다.

진 케네디 스미스 여사는 미국에서 장애인 예술재단을 창립하고 지난 사반세기 동안 운영해 오고 있으며, 윌리엄 케네디 스미스 박사는 재활의사로서 지뢰제거운동을 주도하고 있을 뿐 아니라 국제재활센터를 창립 운영하고 있다. 그러니까 김대중 대통령 내외분과 케네디 가문은 장애인 복지에 대한 공통된 믿음과 꿈을 가지고 있다. 그러나 그로 인해 이루어진 것은 아무것도 없다. 그 이유는 대통령의 큰 믿음을 이해하고 헌신적으로 봉사하는 보좌관들이 부족한 때문이라고 생각된다.

노태우 대통령 때는 김학준 공모 수석께서 끝까지 포기하지 않고 도왔다. 그리고 이종윤 비서관과 문무홍 비서관이 각각 실무를 열심히 해준 덕택에 일이 순조롭게 성사된 것이다.

김영삼 대통령 때는 유종하 외교 안보 수석께서 불가능을 가능하게 만들었다. 그때도 대통령 스케줄 조정이 어려웠고 의전 비서실 반대도 있었지만 유종하 외교 안보 수석께서 직접 대통령께 가서 믿음을 확인하고 강력히 밀어붙인 것이다. 외무부 장관이 되신 후에도 지속적인 지원은 물론 대통령께 외교적인 차원에서 긍정적인 자문을 했기 때문에 "올해의 장애 극복상"이 만들어져서 국가 위상이 높아지고 외교에 도움이 되었다.

그러나 김대중 대통령 때는 대통령의 소신을 파악하고 끝까지 충성하는 측근 보좌관을 만나보지 못했다. 한두 번 기회가 있는 것 같기도 했는데 인사가 너무 잦고 후임자의 계속성이 없어서 아쉬웠다.

내일의 성취는 오늘의 비전과 꿈으로 결정된다

둘째 아들 진영이는 어려서부터 법학전문대학원에 들어갈 때까지 줄곧 대법관이 되고 싶다고 했다. 그러나 대학에서 정치학과 경제학을 전공하면서 가치실현에 대한 믿음이 바뀌게 되어 법원이 아닌 국회의사당에 가 있다. 판사로서 사회정의구현을 하는 것보다 입법부에서 좋은 정책과 법을 만들어 서민들의 삶의 질을 향상시키겠다는 쪽으로 믿음이 바뀐 것이다.

그래서 듀크법학전문대학원에 재학할 때 법원에서 실습을 하는 대신 에드워드 케네디 상원의원 사무실에서 인턴십을 했다. 졸업 후 상원에 입법보좌관으로 취직하여 1년도 못 되어 법사위원회 고문 변호사로 승진하였다. 이 모든 것은 입법부에서 좋은 법과 정책을 만드는 데 일조함으로 세상을 변화시키고 평범한 사람들의 삶의 질을 높일 수 있다는 큰 믿음이 있기에 가능했다.

큰 믿음과 꿈을 가지고 도전하라! 믿음이 크면 모험심도 생기고 불가능에 도전하는 힘도 생기게 된다. "내일의 성취는 오늘의 비전과 꿈으로 결정된다."는 말은 이미 검증되었다. 교육학에서 야망의 정도와 성공과는 밀접한 상관관계가 있다는 것을 검증했기 때문이다. 루스벨트는 "두려워하지 말라. 마음속에 있는 공포 외에는 두려워할 것이 아무것도 없다!"고도 했다. 확신을 가지고 미래를 향해 정진하라!

큰 믿음을 가지고 불가능을 가능하게 한 인물로는 에이브러햄 링컨을 꼽을 수 있다. 링컨이 가진 것은 빈곤과 불투명한 미래뿐이었다. 그러나 그의 마음속에는 큰 믿음이 자라고 있었다. 바로 인간의 자유였

> "남의 자유를 부인하는 자는 자유를 누릴 자격이 없다."
> – 에이브러햄 링컨

다. 그 큰 믿음은 법을 공부하여 변호사가 되게 하였고, 끝내는 대통령에 당선되게 하였으며, 노예 해방이라는 불가능에 도전하여 그가 믿었던 개인의 자유와 평등의 가치를 실현하게 이끌었다.

마지막으로 자녀를 양육하는 부모들을 위해 성경적 교육원리를 하나 소개하고자 한다.

> "대저 하나님께로서 난 자마다 세상을 이기느니라 세상을 이긴 이김은 이것이니 우리의 믿음이니라"(요한일서 5:4).

윌리엄 베네트 교육부 장관은 이 말씀에서 교육의 방향과 목적과 내용을 발견했다. 다시 말하면 교육에서 영원히 불변하는 가치실현에 대한 믿음을 가지게 해주면 죄악으로 가득 찬 세상에 도전해서 승리할 수 있게 된다는 데 착안한 것이다.

그러므로 부모들이여, 가정교육으로 세상을 이기는 힘을 길러 주어 자녀들이 확신을 가지고 분명한 인생의 목적을 향해 정진하도록 해주라!

3

긍정적인 사고로 새 세상을 보라

긍정적인 사고는 길러진다

부정을 긍정으로

어둠이 있는 곳에 꿈이 있다

똑같은 시각장애가 긍정적 요인이 될 수도 있고 부정적 요인이 될 수도 있다. 그것을 바라보는 시각과 태도의 차이 때문이다. 그래서 교육 현장에서는 "태도는 지능보다 성취와 성공에 더 큰 영향을 미친다."는 말을 자주 하고 이는 이미 통계학적으로 검증되기도 했다.

3
긍정적인 사고로 새 세상을 보라

긍정적인 사고는 길러진다

진석

2002년 4월 10일 KBS에서 "장애인의 비전, 부시 행정부 강영우 차관보"라는 다큐멘터리 프로그램을 방영했다. 프로그램 제작진은 제작과정 중에 듀크대학병원에 있는 진석이와 미 국회의사당에 있는 진영이를 방문하여 인터뷰를 했다. 인터뷰에서 진석이는 아버지의 시각장애로 인해 안과의사의 길을 가게 되었고, 진영이는 의회에서 사회정의실현에 일조하기 위해 열심히 일하게 되었다는 감동적인 말을 했다. 불빛조차 보지 못하는 맹인 아버지가 그들의 존경의 대상이며 영웅인 것이다.

뿐만 아니라 미국 최고 엘리트라고 할 수 있는 의학박사 큰 며느리와 법학박사 작은 며느리도 시아버지를 존경하고 자랑스럽게 생각한다. 작은 며느리는 결혼식 피로연에서 수십 명의 동료 젊은 변호사들을 포함한 많은 하객들에게 "우리 시아버지는 세계에서 가장 훌륭하고 인기 있는 분들 중 한분입니다."라고 소개했다.

그런데 지난 주말 캘리포니아에 교회 집회를 인도하러 갔다가 나의 경우와 반대되는 이야기를 들었다. 그 교회에서 헌신적으로 봉사하시는 집사님 한분이 50대에 차차 시력을 잃게 되어 결국 실명하게 되었다고 한다. 그 집사님은 장성한 아들의 배필을 찾아주려고 친지의 소개로 선을 보는 자리를 마련했다고 한다. 그런데 며느리감으로 나온 아가씨가 시아버지 될 사람이 시각장애인이라는 사실을 알고 그냥 일어나 나가버렸다고 한다. 물론 남자 쪽에서 선을 보기 전 그 사실을 알리지 않은 데도 잘못이 있다. 그러나 그 아가씨의 맹인에 대한 부정적인 태도 때문에 일이 깨져버렸을 뿐만 아니라 자신도 상처받고 다른 사람들 마음에도 상처를 주게 된 것이다.

이처럼 똑같은 시각장애가 긍정적 요인이 될 수도 있고 부정적 요인이 될 수도 있다. 그것을 바라보는 시각과 태도의 차이 때문이다. 그래서 교육 현장에서는 "태도는 지능보다 성취와 성공에 더 큰 영향을 미친다."는 말을 자주 하고 이는 이미 통계학적으로 검증되기도 했다.

지능은 주로 유전으로 결정되는 데 비해 태도는 학습된다. 즉 성취와 성공을 결정짓는 긍정적인 태도를 의도적으로 배울 수도 있고 가르칠 수도 있다는 말이다. 진석이와 진영이의 맹인 아빠에 대한 긍정적인 태도도 배운 것이다. 특히 생활 속에서 본을 보인 엄마의 긍정적인 태도를 보고 배웠다. 나아가서 두 며느리들은 아들들과 교제하는 중에 보고 들으면서 배운 것이다.

진석이가 세살 반 때 일이다. "선하고 위대하신 하나님께 주신 음식에 대해 감사합시다."라고 늘 외워서 하는 기도 대신 하루는 저녁 식탁에서 자신의 말로 기도를 하는 것이었다.

"사랑하는 주님, 저도 눈뜬 아빠를 갖고 싶어요. 아빠 눈을 보게 해서 나와 야구도 하고 자전거도 타게 해주세요. 그리고 아빠가 운전도 하게 해주세요."

교육적인 관점에서 보면 그 기도는 긍정적인 태도와 부정적인 태도가 결합되어 있는 것이었다. 그래서 나는 그것을 진석이의 태도 교육의 좋은 기회로 삼았다.

그 기도에 반영된 긍정적인 태도는 실명한 아빠의 아픔에 동참하는 착한 마음과 아빠가 앞을 보게 되었으면 하는 소원(희망)이 담겨 있다는 것이다. 그러한 긍정적인 태도는 길러져야 한다. 그래서 나는 이렇게 말해 주었다.

"아빠는 축구공에 맞아 실명을 하게 되었는데 현대 의학으로는 고칠 수 없단다. 네가 나중에 훌륭한 의사가 되어서 아빠 눈을 고쳐 주렴. 아빠가 그때까지 기다릴게."

그러자 진석이는 이렇게 대답했다.

"그럼, 내가 보지 못해도 운전할 수 있는 자동차도 만들고 의사가 되어 아빠 눈도 고쳐줄게."

그 어린 시절 놀라운 꿈이 실현되어 의사가 된 진석이는 지금 이렇게 증언하고 있다.

"비록 아버지의 눈을 고쳐드릴 수는 없지만 다른 많은 시각장애인들을 치료하여 빛을 찾도록 도와줄 수 있어 매우 기쁘고 감사합니다."

이와 같이 말 한마디가 긍정적인 태도를 가지게 해서 한 인간의 인생을 바꿀 수도 있다. 뿐만 아니라 긍정적인 시각으로 그동안 보지 못했던 새로운 세상을 보게 해준다.

진석이 기도 내용에 반영된 맹인 아빠에 대한 부정적인 태도는, 아빠는 야구도 못하고 운전도 못하고 자전거 타는 것도 가르쳐 줄 수 없다는 것이었다. 그러한 태도는 누가 가르쳐 준 것이 아니라 혼자 보고 배운 것이다. 그것이 장애인에 대한 대표적인 부정적 태도이다. 보통 사람들은 지체장애인, 시각장애인 또는 청각장애인과 능력장애인을 동일시한다. 그러한 부정적인 태도가 인격의 일부를 형성하게 되면 장애인에 대한 편견과 차별로 연결될 뿐만 아니라 장애인 부모를 무시하고 창피하다고 피하는 사태까지 생기게 되는 것이다.

나는 진석이의 부정적인 태도를 긍정적인 사고로 바꾸어 주어, 열려진 새로운 세계를 볼 수 있도록 도와주었다. 우리 내외는 그때가 가장 바쁘게 살 때였다. 나는 교육행정가로 일하면서 저녁에는 대학원에 출강했고, 아내는 공립학교 특수교사로 취직이 되었기 때문에 세살 반짜리 진석이와 돌도 안 된 진영이를 양육하느라 동분서주할 수밖에 없었다. 그래서 아내가 저녁 설거지를 하는 동안 내가 두 아들을 목욕시켜 잠자리에 보내는 일을 했다. 나는 불을 켜나마나 마찬가지다. 그래서 아이들을 재울 때면 불을 끄고 점자로 된 동화나 성경 이야기를 읽어주곤 했다. 그때 진석이에게 이런 말을 해주었다.

"아빠가 보지 못해서 야구도 못하고 운전도 못해 주지만, 그런 것들은 엄마가 다 해주잖니. 대신 아빠는 못 보기 때문에 볼 수 있는 엄마보다 더 잘하는 것이 있단다."

당장 호기심이 자극된 진석이는 그것이 뭐냐고 물었다.

"아빠는 네가 잠자리에 들 때 불을 끄고 재미나는 이야기를 읽어주니까 네가 쉽게 잠들 수 있지만, 엄마는 불을 끄면 네가 좋아하는 그림책도 못 읽어 주잖니."

그때부터 진석이에게 맹인 아빠에 대한 긍정적인 태도가 형성되기 시작해서 새로운 시각으로 인생과 미래와 세계를 보게 되었다.

그 후 14년의 세월이 흘러 진석이가 대학에 입학할 나이가 되었다. 스탠퍼드대 입학 에세이 제목은 "누구와 만나 하루 동안 어떻게 보내겠는가?"라는 것이었다. 진석이는 꿈속에서 옥수수 밭에 야구장을 만든 영화 "꿈의 구장"의 주인공을 만나 모든 사람들이 반대하고 비웃는 어려움을 어떻게 극복하고 놀라운 꿈을 실현했는지 들어보면서 하루를 지내겠다고 했다.

하버드대 입학 에세이 주제는 "인생에서 가장 의미 있었던 경험이나 사건"이었다. 진석이가 쓴 에세이의 제목은 "어둠 속에서 아버지가 읽어 주신 이야기들"이었다. 다시 말하면 어린 시절 잠자리에서 들었던 이야기들이 인생을 살아가는 데 가장 영향을 미쳤다는 뜻이다. 동화나 성경 이야기에는 한평생 어떻게 살아갈 것인가에 대한 고귀한 태도와 가치관이 반영되어 있기 때문일 것이다. 그 에세이는 맹인 아빠에 대한 긍정적인 태도로 가득 차 있어 세살 반 때 가졌던 부정적인 태도는 흔적도 없다.

"……아버지의 실명으로 내가 잃은 것이 없었기 때문이리라. 오히려 어둠 속에서 책을 읽어 줄 수 있는 이점이 있어 나는 쉽게 잠들 수 있었을 뿐 아니라 더 큰 상상의 날개를 펼칠 수 있었던 것이다. ……두 눈을 뜬 내가 앞을 보지 못하는 아버지의 안내자가 아니라 맹인인 아버지가 정안자인 내 인생을 안내하신다는 사실을 알게 된 것이다. ……그로 인해 내 상상의 세계는 넓어졌고 창의력은 개발되었으며 비전은 선명해졌다. ……우리 맹인 아버지는 외모로 보면 장애인같이 보인다. 그러나 나에게는 아버지가 장애인으로 보이지 않는다. 아버지는 내가 아는 누구보다도 더 능력이 있고 재능이 있는 분이라고 생각되기 때문이다……."

합격자가 발표된 후 스탠퍼드대와 하버드대 입학처에서 전화를 걸어 자기 대학으로 오라고 했는데, 특히 하버드대에서는 입학처장이 직접 나에게 전화를 걸어 "아들이 무척 자랑스러우시겠습니다. 폴과 같이 긍정적인 태도로 신천지를 볼 수 있는 차세대 지도자를 하버드는 환영합니다!"라고 하는 것이었다.

젊은이들이여, 긍정적이고 적극적인 태도를 키우라! 자녀들도 긍정적인 사고로 미래와 세계와 인생을 볼 수 있는 눈을 뜨게 해주라!

부정을 긍정으로

도널드 레이건

미국 40대 대통령 도널드 레이건은, 지금은 치매로 세상과 접촉이 끊어진 상태이지만 인간적으로 참 멋있고 재미있는 분이다. 젊은 날에는 노동조합회장도 하면서 민주당에 소속되어 근로자들의 권익을 위해 투쟁했으며 민주당 대통령 후보인 루스벨트를 네 차례 모두 찍었다고 한다. 그런데 인생 후반기에는 공화당 소속으로 캘리포니아 주지사도 역임하고 대통령까지 되어 8년 동안 위대한 업적을 남겼다. 아직 생존해 있는데도 그의 업적을 기리기 위해 워싱턴 국제공항 이름이 도널드 레이건 공항으로 바뀌고, 사우스다코타주 마운트 러시모어에 있는 바위에 조지 워싱턴, 토머스 제퍼슨, 에이브러햄 링컨, 시어도어 루스벨트에 이어 레이건 대통령을 추가로 새기는 운동이 전개되고 있다.

레이건은 20세기의 가장 위대한 공화당 대통령으로 추앙받을 정도로 역사적인 업적을 많이 남겼다. 무엇보다도 공화당의 전통적인 정책노선을 따라 국방을 강화하고, 국방 예산을 천문학적 수치로 올려놓아 소련을 붕괴시키고 냉전을 종식시키는 데 성공했다. 국내적으로는 붕괴된 전통적 가치관 회복 운동의 기초를 닦았다.

그러면 젊은 날에는 민주당이 추구하는 복지국가 건설에 앞장섰던 이가 어떻게 공화당 대통령이 되어 공화당이 추구하는 가치 실현에 획기적인 업적을 남길 수 있었을까? 그것은 자신과 세계를 보는 시각과 태도에 변화가 있었기 때문이다.

레이건은 시골에서 조그만 구둣방을 하는 가난한 가정에서 태어나 어린 시절과 청년 시절을 보냈다. 고등학교를 졸업할 무렵 다른 친구들은 대학 진학을 했지만 레이건은 대학 진학은 꿈도 꾸지 못했다. 그래서 직장을 찾아 나섰는데, 몽고메리 워드 백화점에서 점원을 구하는 구직광고를 보게 되었다. 레이건은 점원으로 취직하기 위해 입사원서를 작성하고 아침부터 오후까지 기다리며 면접을 받았다. 그러나 경제공황 때라 구직자들이 너무 많아 그 자리가 돌아오지 않았다. 미래에 세계를 움직이고 소련과의 냉전을 종식시킬 대통령이 점원 자리도 구할 수 없었던 것이다.

낙심해서 돌아오는 아들을 멀리서 지켜본 어머니는 일자리를 구하지 못한 걸 알고는 "오늘 나쁜 일이 일어났기 때문에 미래에 더 좋은 일이 있을 거야."라고 격려해 주었다. 당시 레이건은 그 말이 전혀 들어오지 않았다고 한다.

그 후 반년 동안 일리노이주에서 일자리를 찾아 헤맸으나 구하지 못하고 결국 아이오와주로 넘어가서야 일자리를 구할 수 있었다. 고교 시절 방송반에서 과외활동을 한 덕분에 라디오 방송 스포츠 담당 아나운서 자리를 얻게 된 것이다. 그로 인해 훗날 할리우드와 연결되어 직장도 옮기게 되고 영화배우가 되는 길도 열리게 되었다. 그는 라디오 방송국에서 일자리를 얻고 난 이후에야 어머니가 하신 말씀을 이해할 수 있었다고 한다. 만일 몽고메리 워드 백화점의 점원이 되었다면 그는 거기에서 주저앉았을 것이다. 그러면 라디오 아나운서로 취직이 되지 않았을 것이고, 영화배우의 길도 가지 못했을 것이다.

이후 레이건은 노동조합의 회장으로서 근로자들을 대변하고 권익운동을 주도하면서 차차 고용주들의 세계를 이해하고 그들의 입장에서 다른 세상을 볼 수 있게 되었다. 그러면서 자신을 자수성가하게 한 것은 어머니가 보여 주시고 가르쳐 주신 긍정적인 태도와 개인의 자유와 책임을 강조하는 보수전통가치라는 것을 깨닫게 되었다고 한다. 생각이 이쯤 되니 자신을 그때까지 이끌어 준 것은 공화당이 내세우는 개인의 자유, 평등, 책임 등 보수전통가치라는 것을 실감하게 된 것이다.

그러나 공화당 대통령이 되고 나서도 개인의 신뢰, 특히 32대 루스벨트 대통령을 잊지 않았다. 젊은 시절 네 차례 선거에서 투표한 것은 정적인 반대당 대통령이 되어서도 감추지 않고 자랑스럽게 생각했을 뿐만 아니라, 2차 세계 대전을 승리로 이끌고 경제 대공황에서 미국을 구출한 20세기 영웅이므로 루스벨트 기념관을 만들자고 처음으로 의회에 제안하기까지 했다. 그러니까 루스벨트 기념관 건립운동은 그가 소속되었던 민주당에서 시작된 것이 아니라 반대당인 공화당 대통령에 의해 시작된 것이다. 이와 같이 태도와 가치관이 바뀌면 그동안 보지 못했던 새로운 세상을 보게 되고 성취자가 될 수 있다.

민관식 장관

30년 전 내가 도미 유학을 떠나올 때는 장애가 해외유학의 결격 사유였다. 그래서 한미재단과 연세대학교가 공동으로 문교부 국제 교육과에 청원서를 제출하였고, 민관식 장관께서 결재함으로 그 불평등 조항이 삭제되었다.

부정적으로만 생각하면 그러한 불평등 조항이 존재했다는 것만으로도 국가적 수치이며 장애인들의 기본인권 침해였다. 개인적으로는 반년 동안 투쟁하느라 시간을 낭비했을 뿐만 아니라 그만큼 마음고생을 해야만 했다. 그러나 긍정적인 시각으로 보면 그로 인해 나는 한국 장애인 최초 정규 유학생이라는 영예를 가지게 된 것이다. 뿐만 아니라 민관식 당시 문교부 장관과는 그 후 절친한 인간관계를 맺게 되었다.

여러 해 전에 한양 로터리클럽 주회 강사로 초청되어 갔을 때였다. 한양 로터리클럽의 회원은 원로 지도층 인사들이 많아 당시 전직 국무총리만 여섯 분이 계셨다. 재경부장관을 역임하신 송인상 국제로터리 이사께서는 강사인 나를 로터리의 우상이라고 소개하셨다.

그날 나는 "사랑과 봉사의 열매"라는 주제로 연설을 했는데, 내가 오늘날 입지전적 존재로 로터리의 우상이 되기까지는 국제이해와 세계평화를 목적으로 하는 국제로터리재단의 장학금도 있었고 장애인에 대한 사회 편견과 차별에 대항해 투쟁해서 승리하도록 도와준 분들이 많았다고 전제한 후, 1972년 도미 유학을 떠날 때는 민관식 장관께서 해외 유학 장애인 결격 불평등 조항을 제거해 주셨다고 했다.

나는 그 자리에 민 장관께서 앉아 계시리라고는 상상도 못했다. 그런 때는 보지 못하는 것이 유리했다. 내가 그 말을 할 때 다른 사람들 시선은 모두 민 장관께 쏠렸지만 나는 그대로 집중해서 연설을 할 수 있었던 것이다. 그리고 주회가 끝난 후 민 장관께서 나에게 오셔서 "내가 민관식이야." 하시어 그분과 극적인 만남을 가질 수 있었다.

그 후 서울에 가면 종종 식사 초대를 받아 신세를 지곤 한다. 그리고 이제는 송구스러워서 서울에 왔다는 사실을 신고를 안했다가 신문 지상을 통해 내한한 것을 아시기라도 하면 먼저 호텔로 전화를 걸어 호통을 치실 정도로 가까운 사이가 되었다.

얼마 전 서울에 갔다가 이화여대 후문 쪽에 위치한 식당에서 그분과 함께 식사를 하고 있었다. 갑자기 뜻밖의 질문을 하시는 것이었다.

"강 박사, 내가 학창 시절에 낙제한 것 알지?"

나는 순간 당황했다. 물론 오래 전부터 알고 있는 사실이었다. 그러나 왜 그런 질문을 하셨을까 하는 생각에서 되물었다.

"약학 박사이시고 대한체육회 회장, 문교부 장관, 국회의장까지 지내신 분이 어떻게 낙제를 하셨었습니까?"

그 대답은 이러했다. 경기중학을 다닐 때 개성에서 기차로 통학을 했다고 한다. 그때 같이 통학하는 학생들과 패거리를 만들어서 서울 패거리들과 싸우느라고 공부를 안해서 낙제를 했다는 것이다. 그러다가 장학금 받은 것을 계기로 인생관이 바뀌어 새로운 목표를 향해 열심히 공부하게 되있다는 것이다.

그 장학금은 공부를 잘해서 받은 것이 아니었다. 공부를 잘하라고 격려조로 수여된 것이었다. 그렇게 장학금을 받고 보니 '나도 장학금을 받았으니 이제는 장학생답게 공부도 잘하고 모범적으로 살아야겠구나.' 하는 생각이 들더란다. 그때 결심하고 새출발을 하게 된 것이다. 한번은 열심히 공부하는 모습을 본 형님이 이렇게 묻더란다.

"아니, 낙제생으로 낙인찍힌 네가 웬일이냐? 이렇게 열심히 공부를 다하고."

"저도 이제 장학생이 되었으니 장학생답게 열심히 공부해야죠."

그리고 장학금 때문에 변화된 동생과 또 망나니 동생이 변화된 것을 옆에서 지켜본 형은 장차 장학회를 만들어서 나라의 기둥이 되는 인재 양성에 기여하자고 약속했다고 한다. 그러나 형님이 북한으로 납치되는 바람에 형제간 약속은 지킬 수 없었다. 하지만 홀로 지난 46년 동안 장학회를 운영, 고교생들에게 장학금을 수여하고 계시다고 했다. 그 얘기를 듣고 감동이 되어 그 장학회에 성금을 보내지 않을 수 없었다.

2001년 11월 정필도 목사님이 시무하는 부산 수영로교회에서 특별성회를 인도하였다. 정 목사님은 경기중 · 고교와 서울대라는 학벌이 말해 주듯이 영적 분야뿐 아니라 세상적으로도 다재다능하신 분이라 생각된다. 개척교회로 시작하셨는데 현재 등록 교인 3만 명으로, 서울 이남에서 가장 큰 교회로 성장 부흥했다. 그 교회에서 3일 동안 집회를 인도하는 중에 한번은 "고난과 역경을 긍정적인 자산으로"라는 제목으로 강연을 했다. 그 강연에서 민관식 장관 스토리를 예화로 소개했더니 정 목사님이 어린 시절 판잣집에서 가난하게 살았을 때 그 장학금을 받아 경기 중학을 다녔다고 하시는 것이었다.

이와 같이 생각과 태도가 바뀌면 새로운 세상이 보이고 새로운 꿈이 생기게 된다. 특히 고난과 역경을 긍정적인 관점에서 보면 비전은 더욱 분명해진다.

강영우

나의 소년 시절, 불행이 겹쳐 낙망하고 있을 때였다. 밀려드는 고난과 역경에서 부정적인 것만 보일 뿐 긍정적인 것은 전혀 없는 것 같았다. 무엇보다도 그동안 내가 믿고 의지했던 하나님이 내가 알지 못하는 어떤 죄에 대한 무서운 형벌로 다스리시는 것 같아서 두려웠다.

그러던 어느 날 기독교 방송 "인생 상담" 시간에 상담을 받게 되었다. 상담해 주시는 반병섭 목사님은 찬송가 "가슴마다 파도친다"의

작사자이셨다. 그때 그분은 나에게 고린도전서 12:7-10을 소개해 주시면서 바울도 육신의 가시로 찌르는 듯한 고통을 평생 겪어야 했다고 하셨다. 또한 그것을 제거해 달라고 3번이나 간구했으나 고침받지 못한 채 오히려 그것을 통해서 하나님께 영광을 돌렸다고 하셨다.

그 말씀을 들은 후, 나는 내 처지를 바울의 처지와 동일시하여 커다란 위로를 받을 수 있었다. 무엇보다도 바울의 육신의 가시가 저주로 인한 것이 아니었다면 나의 실명도 저주의 결과가 아닐 수 있다는 생각은 다른 많은 긍정적 사고와 태도의 기초가 되어 주었다. 또한 바울의 기도를 응답하시지 않은 것이 믿음의 부족에 기인한 것이 아니라면, 내 기도가 응답받지 못한 것도 믿음이 부족한 증거는 아니라는 생각도 들었다. 바울이 그러한 육신의 가시를 가지고도 세계를 기독교화하는 큰 꿈을 가지고 옥중에서까지 성경에 실린 서신을 쓸 수 있었다는 것은 나 자신을 긍정적이고 적극적이며 미래 지향적으로 변화하게 하는 데 충분했다.

그동안 부정적인 관점에서 시각장애인의 운명을 보았을 때는 너무나 답답하고 비참한 것들뿐이었다. 그러나 생각을 바꾸어 긍정적인 관점에서 보게 되니 새로운 미래의 세상이 보이는 것 같았다. 그때까지 나는 세상에서 내가 가장 불행하다고 생각했는데 실명 자체를 긍정적인 관점에서 보게 되니 대학을 나오고 유학을 가면 개척자, 선구자가 될 수 있겠다는 희망이 보였다. 뿐만 아니라 헬렌 켈러는 보지 못할 뿐 아니라 듣지도 못하고 말도 못하는데 나는 들을 수 있고 말도 할 수 있어 자유롭게 의사소통을 할 수 있으니 오히려 축복받은 사람이라는 생각까지 하게 되었다.

맹인에게 가장 불편한 일은 독서와 보행이다. 우선 독서는 점자책을 보거나 녹음 도서를 듣거나 남이 읽어주는 것을 들어야 한다. 그리고 보행 같은 경우는 지팡이를 사용해서 독립적으로 할 때도 있고 안내를 받기도 하고 맹도견을 이용하기도 한다. 그럼에도 불구하고 독서와 여행은 나의 취미 중 하나이다.

나는 방대한 양의 독서를 즐길 뿐만 아니라, 캐나다 럭키 산맥도, 유럽 알프스 산맥도, 백두산도, 한라산도 다녀왔다. 미국 50개 주에서 46개 주를 다녀왔으니 얼마나 여행을 좋아하는지 짐작할 수 있을 것이다. 여행 중에 불편한 점도 많지만 무엇보다도 세계 도처에서 옛 친지들을 반갑게 만나고 새로운 친구들을 사귀면서 새로운 세상을 볼 수 있는 것이 좋다. 나는 시각화해서 나름대로 본다. 선천 맹인이 아니기 때문에 과거에 본 기억을 토대로 시각화할 뿐만 아니라 만져보고 들어본 것을 가미하여 시각화하기 때문에 때로는 실제보다 아름다운 경치도 감상할 수 있다.

이처럼 나는 육안이 아닌 긍정적이고 미래 지향적인 생각과 태도로 새로운 세상을 보고 살아간다.

2005년은 초아의 봉사정신을 모토로 하는 국제 로터리가 창립 백주년을 맞이하는 해이다. 그 기념사업의 일환으로 백년사를 편찬하는데 감사하게도 그 책에 내가 포함된다는 연락을 받았다. 고난과 역경을 통해 봉사정신과 지도력을 개발해서 연방정부 최고 공직자 중 하나가 된 성공사례를 소개해서 후대 청소년들과 젊은이들에게 고난에 대한 인내와 도전정신을 심어주도록 한다는 것이다.

집안에 경사가 있을 때면 어머니가 살아 계셔서 그 기쁨을 함께 나눌 수 있었으면 하는 생각이 종종 든다. 맹인으로 평생을 살아야 하는 아들의 운명을 부정적인 시각으로만 보시고 그에 대한 긍정적인 시각을 가져보시기도 전에 세상을 떠나셨기 때문이다.

실명 선고에 대한 충격이 원인이 되어 뇌졸중으로 타계하셨는데, 15년 후 그 아들이 한국 최초 맹인 박사가 되었고, 다시 15년 후 장손이 세계 명문 하버드대에 입학했다. 그리고 이제 그 아들과 손자들이 세계화 시대를 주도하는 미국에서 명문가의 꿈을 실현하고 있다.

독일의 실존주의 철학자 니체는 "고난은 당신을 죽이지 않는 한 강인하게 할 뿐이다."라고 했는데 우리 어머니는 고난 앞에 돌아가셨기 때문에 아직도 아쉬운 것인지도 모르겠다.

어둠이 있는 곳에 꿈이 있다

타임지가 선정한 20세기 가장 위대한 인물 앨버트 아인슈타인과 외교와 평화 협상의 귀재로 알려졌던 헨리 키신저 전 미 국무장관 등을 비롯, 각계에서 20세기를 이끌어온 최고의 지성 21명 중 15명이 유태인이며, 노벨상 수상자 3명 중 1명이 유태인이라고 한다. 세계 도처에 흩어져 사는 유태인 인구는 천오백만에 불과하니 남한 인구의 1/3 정도 되는 셈이다. 그러면 세상 사람들이 흔히 말하듯 유태인들은 태어날 때부터 가장 머리가 우수한 민족으로 태어났을까? 그것은 아니다. 민족간 지능지수 차이는 없는 것이 정설로 되어 있다. 그럼에도 불구하고 초등학교 시절부터 성취자들로 두각을 나타내는 사람들이 타민족에 비해 월등하게 많다는 통계가 나와 있다.

이처럼 지능은 타민족에 비해 우수한 것이 아닌데 성취자들이 엄청나게 많다는 것은 기본 능력과 성취도 사이에 작용하는 성취동기에 차이가 있다는 말이다. 그 성취동기의 기초를 이루는 태도와 가치관, 교육 방법이 다른 것이 커다란 원인으로 지적되고 있다. 특히 13세 성년의식이 있기 전 가정교육에서 심력을 기르는 정의적 영역의 교육이 잘되고 있기 때문이다.

1948년 이스라엘이 독립하기 전 그들은 2천년을 나라 없이 살았다. 어느 민족보다 고난과 역경을 오래 겪은 민족이라 할 수 있다. 하지만 고난과 역경은 그 자체에 부정적인 의미가 내포되어 있기도 하지만 그것을 통해 인내심이 길러지고 눈에 보이지 않는 소망을 가지게 되는 긍정적인 면도 있다. 그러한 긍정적인 면을 가정교육에서 강조해 성과를 극대화하는 민족이 유태인이고 아마도 그러한 긍정적인 교육 효과를 무시하고 살아가는 민족이 한국인들이 아닌가 싶다.

한국에서는 6 · 25 사변을 겪은 세대와 그 이후 태어난 세대 간에 고난을 통해 형성된 심력의 분명한 차이가 있다. '한강의 기적' 을 이룬 세대도 고난과 역경에 담긴 긍정적인 자산으로서의 가치를 교육을 통해 전승하는 데는 실패한 것이다. 본능적으로 자녀들에게 자신들이 겪은 지긋지긋한 고통을 넘겨주지 않겠다는 데만 초점을 맞추어, 그러한 목적은 효율적으로 달성했는지 몰라도 고난에 대한 긍정적인 태도를 길러주는 데는 실패한 것이다.

"실패는 성공의 어머니"라는 말은 교육의 중요한 진리를 담고 있다. 실패를 하는 과정에서 인내심과 지구력이 생기고, 오늘의 고난을 내일의 영광으로 만들려는 결심도 생기고, 보다 나은 미래에 대한 소망도 생기기 때문이다.

헨리 키신저

"어둠이 있는 곳에 꿈이 있다."고 주장하면서 37대 닉슨 행정부에서 국무장관으로서 많은 업적을 남긴 헨리 키신저 박사의 배경을 보면 재미있다.

상상해 보라. 그는 나치 독일에서 유태인 가정에 태어나 어린 시절을 보냈다. 그리고 박해를 견디지 못해 15세 때 피난민으로 뉴욕에 도착하였다. 하지만 그는 하버드대에 진학하여 행정학을 전공하고 대학원에서 박사학위를 받은 후, 하버드대 교수로 세계적인 명성을 얻게 되었다. 닉슨 행정부 국가안전위원회 위원장으로 발탁되어 대통령을 보좌하다가 국무장관으로서 소위 "탁구외교"로 중국이 처음으로 문을 열게 하는 외교에 두뇌 역할을 했으며 중동 평화 협상에도 획기적인 흔적을 남겼다. 그리고 유태인으로서의 고난의 역사를 기회로 국제이해와 세계평화에 기여함으로 노벨평화상까지 수상하였다.

꿈을 꾸는 젊은이들이여, 고난과 역경에도, 실패와 패배에도 대단히 소중한 긍정적인 가치가 있다는 것을 기억하라. 당신의 심력을 기르는 자양분이 될 뿐만 아니라, 자녀들에게도 어떠한 역경 속에서도 결코 포기하지 않고 노력하고 투쟁해서 최후의 승리를 거두는 에너지원을 공급해 줄 것이다.

하늘의 별따기 만큼이나 어려운 서울대에 들어갔는데도 인생에서 낙오자가 되는 이유를 아는가? 서울대에 입학할 때까지 실패와 패배를 별로 경험하지 않고 승승장구하다가 명석한 두뇌들 사이에서 별볼일 없는 존재로 떨어지게 되면 실망하고 좌절하게 되기 십상이다. 실패와 패배를 토대로 인내심과 지구력이 생기고 캄캄한 어둠을 헤쳐나가는 힘과 소망이 생긴다는 진리를 모르기 때문이다. 누구의 책임이겠는가? 어린 시절 실패나 패배를 너무 많이 경험하는 것도 자신감과 자긍심 발달에 해가 되지만 어느 정도는 균형적인 발달을 위해 필수적이다.

젊은 부모들이여, 어린 시절 너무 과보호하지 말고 적당한 실패의 경험으로 심력을 키울 기회를 주라. 실패나 패배의 긍정적인 가치는 어릴수록 크고 지불해야 할 대가도 작다. 반대로 성장하면 엄청난 대가를 지불하게 됨은 물론 교육성과는 떨어진다고 보고되고 있다.

긍정적인 시각으로 새로운 세상을 보라! 긍정적인 태도는 학습으로 습득된다는 사실을 명심하라. 오늘의 고난에 대한 긍정적인 태도로 내일의 밝고 찬란한 세계를 바라보라. 그리고 그 아름다운 세계를 향해 끈기와 노력으로 결코 포기하지 말고 달리고 또 달리라!

4

선명한 비전으로 타고난 능력을 개발하라

요즈음 많은 젊은이들이 일류 학교 진학, 고시 합격, 의사 또는 변호사가 되는 것 등 과정 목적은 있어도 그 이상의 인생의 궁극적인 목적이 없는 경우가 많다는 보고가 있다. 그것은 커다란 문제이다. 일류대 진학이나 전문인이 되는 과정 목적이 달성되었을 때 갑자기 더 이상 정진할 목표와 방향을 잃어버리게 되기 때문이다. 그 뿐만 아니라 과정 목적 달성에 실패했을 때도 궁극적인 목표를 향한 다른 과정 목적을 세우기 어렵게 되어 절망과 좌절의 늪으로 빠져들기 쉽다.

4
선명한 비전으로 타고난 능력을 개발하라

목표를 향해

진영

작은 아들 진영이는 변호사가 되어 연방 상원에서 입법 보좌관으로 근무를 시작했다. 그런데 얼마 전 상원 법사위원회에서 일리노이주 출신의 민주당 딕 더빈 의원 고문 변호사로 승격시켜 화제가 되고 있다. 입법 보좌관으로 일을 시작한 지 9개월 만에 이루어진 인사 조치라 획기적이기 때문이다.

우선 변호사 하면 나이가 지긋한 중년 신사를 연상하게 된다. 직함에 '고문'이란 말이 붙으면 더욱 그러하다. 게다가 수백만 또는 수천만에게 영향을 미치는 연방 상원 입법 과정에서 실무를 담당하고 자문하는 일을 한다면 26세 청년 병아리 변호사를 연상하지는 않을 것이다. 보통은 하원에서 입법 보좌관으로 적어도 2년 정도 경력을 쌓은 후 상원에 올라와 입법 보좌관으로 여러 해 경력을 쌓으면서 능력을 인정받아야 법률 고문단으로 승진된다. 그런데 진영이는 변호사가 된 후 하원을 거치지 않고 바로 상원에 취직되었다. 그것은 법학전문대학원 재학시 선명한 비전과 분명한 목적을 가지고 상원 보건, 교육, 노동, 연금 분과 위원회의 에드워드 케네디 상원의원 사무실에서 인턴십을 했기 때문이었다.

고문 변호사로 승진되기 한 달 전, 부자간에 있었던 일이다.

진영이는 초등학교 때부터 글을 잘 쓰고, 고교 시절, 대학 시절, 대학원 시절 줄곧 기자로 활동했었기 때문에, 내가 중요한 편지나 연설문을 작성할 때면 진영이는 나의 비서 겸 보좌관 겸 편집자가 되었다. 그런데 상원 입법 보좌관으로 취직한 후에는 저녁 늦게까지 일을 하느라 나를 도와줄 시간을 내지 못하는 것이었다. 게다가 결혼식까지 겹쳐 결혼식이 끝나면 상황이 진전되겠지 기대를 했는데 그 후에도 마찬가지였다. 여러 달 동안 인내를 가지고 기다렸는데도 날마다 저녁 늦게까지 일을 하고 주말에도 사무실에 나가는 것이었다. 그래서 하루는 참다못해 짜증을 냈다.

"네가 무능력해서 일이 밀려 매일 늦게까지 일을 하는 거니?"

["청년들이여, 인생의 분명한 목적과 방향을 정하라. 그러한 목적과 방향이 없으면 아무 데도 도달할 수 없다." -헨리 키신저]

진영이는 그때는 아무 말도 하지 않더니, 그날 저녁 팩스로 정중한 편지를 보냈다.

사랑하는 아버지,

오늘 아침 아버지는 저를 모욕하는 말씀을 하셨어요. 무능력해서 매일 늦게까지 일을 하느냐고 하셨죠. 그것은 잘 모르고 하시는 말씀입니다. 저는 오는 8월 법률 고문 승진을 목표로 두 몫의 일을 하고 있습니다. 저의 업무인 입법 보좌관 일을 끝내 놓고 자원해서 법률 고문 일을 하고 있지요. 저의 직무도 소홀히 하지 않으면서 새로운 일을 준비하느라 매일 늦게까지 일하고 있는 것입니다. 제가 하는 일을 이해하시고 존중해 주십시오. 그리고 제가 바쁠 때는 아내 리스가 아버지 일을 도와 드리기로 했습니다.

– 진영 올림

나는 즉시 아들에게 사과하고 자랑스럽고 대견하게 생각한다는 답신을 팩스로 보냈다. 그리고 며느리에게 전화를 걸어 대신 일을 부탁했다. 대학에서 영문학을 전공했을 뿐 아니라 하버드법학전문대학원 출신 변호사라 아들 못지않게 잘 도와주고 있다.

도미 유학을 온 지 올해로 꼭 30년이 되었다. 피츠버그대에서 박사 학위를 받던 해인 1976년에 태어난 진영이가 어느 새 26세가 되었다. 그리고 이제 내게 자문도 해주고 교정도 봐주는 것이다.

젊은이들이여, 선명한 인생의 비전을 가지라! 진영이도 법률 고문 자리가 8개월 후에 난다는 것을 미리 알고 그 자리를 목표로 능력을 키워 인정을 받았기 때문에 획기적인 승진이 가능했던 것이다. 비전이 선명하면 선명할수록 타고난 능력을 개발할 방향과 목적도 분명해지게 마련이다.

26년 전 우리 부자 관계를 상상해 보라. 박사 학위를 갓 취득한 젊은 아버지와 아무것도 혼자 할 수 없는 갓난아기였다. 그러나 26년이 지난 오늘의 부자 관계는 어떠한가? 세대는 다르지만 어느 기준에서 보나 대등한 관계에서 서로 돕고 있다. 그것은 무엇보다도 진영이가 인생의 선명한 비전을 가지고 분명한 목적을 향해 주어진 능력을 최대로 개발했기 때문에 가능했다.

진영이가 5학년 때 일이다. 65세가 되어 퇴직을 앞뒀다고 가정하고 자서전을 써보라는 과제를 받았다. 그때까지는 막연하게 커서 스탠퍼드대학에 진학, 과학을 전공해서 과학자가 되겠다고 했었다. 그런데 자서전을 준비하면서 인생의 방향과 목적이 바뀌게 되었다.

무엇이 되어서 어떻게 남은 생을 살 것인가를 구체적으로 생각하지 않고는 인생의 청사진을 만들 수 없다. 인생을 내다보며 선명한 비전을 세우고 장기 목적, 중간 과정 목적, 구체적인 실천 목적을 설정하는 것이 좋다.

헨리 키신저 박사는 젊은이들을 향해 이렇게 말했다.

"청년들이여, 인생의 분명한 목적과 방향을 정하라. 그러한 목적과 방향이 없으면 아무 데도 도달할 수 없다."

그때 진영이는 과학자가 되는 대신 법조인이 되어서 사회정의를 실현하며 살 것이라는 분명한 인생의 목적을 설정했다. 수십 페이지에 달하는 그 자서전에는 대법관이 되어 사회정의실현을 해나가는 장기 목적 달성에 이르는 상 · 하위의 분명한 과정 목적들이 구체적으로 설정되어 있다.

즉 대법관이 되기 전 일반 판사가 되는 과정이 있고, 변호사가 되는 과정, 법학전문대학원 과정, 대학 과정, 고등학교 과정, 중학교 과정이 있고 각각 그 과정을 순서대로 거치고 과정 목적을 달성해야 궁극적인 목적 달성에 도달하게 되는 것이다. 가장 하위 과정 목적이 설정되어 오늘 나의 행동이 결정되게 되면 그것이 행동 목적 또는 실천 목적이 된다. 그러니까 분명한 인생의 목적은 세 단계, 즉 궁극적인 인생의 장기 목적, 중간 과정 목적, 실천 목적으로 구별될 수 있는 것이다.

그런데 요즈음 많은 젊은이들이 일류 학교 진학, 고시 합격, 의사 또는 변호사가 되는 것 등 과정 목적은 있어도 그 이상의 인생의 궁극적인 목적이 없는 경우가 많다는 보고가 있다. 이는 커다란 문제이다. 일류대 진학이나 전문인이 되는 과정 목적이 달성되었을 때 갑자기 더 이상 정진할 목표와 방향을 잃어버리게 되기 때문이다. 그 뿐만 아니라 과정 목적 달성에 실패했을 때도 궁극적인 목표를 향한 다른 과정 목적을 세우기 어렵게 되어 절망과 좌절의 늪으로 빠져들기 쉽다.

진영이는 중학교는 형이 다녔던 동네에 있는 윌버라이트 중학교에 다닌다고 했는데 그 과정 목적은 그대로 성취했다. 고교부터 대학원까지는 대인 관계를 넓혀 형과 독립적인 학연에 의한 인맥을 형성하기 위해 다른 학교를 다니겠다고 했는데 그러한 과정 목적들도 그대로 달성되었다. 고교는 필립스 아카데미 양교 중 진석이가 엑서터를 갔기 때문에 진영이는 앤도버를 선택했다.

대학 때는 프린스턴대에서 정치학을 전공한다고 했는데 시카고대로 진학해서 정치학을 전공했다. 법학전문대학원은 하버드로 진학한다고 했는데 듀크법학전문대학원을 나왔다. 그러나 5학년 때 선명한 비전을 가지고 분명한 목적을 세웠던 것들이 대충 다 이루어진 셈이다. 만일 진영이에게 그러한 분명한 비전과 목적을 담은 인생의 청사진이 없었더라면 오늘의 자리에 이르기까지는 훨씬 더 많은 시간이 걸렸을 것이다.

석 · 은 · 옥

분명한 목식이 있으면 타고난 능력을 개발하는 데 크게 도움이 된다. 어느 분야의 능력을 타고났는지 알아보는 방법은 크게 세 가지가 있다. 첫째는 측정평가도구로 지능, 창의력, 적성 등을 측정하는 방법이다. 둘째는 직능분석방법이다. 즉 분석된 기능과 지식에 비추어 자신이 그 분야에 능력과 적성이 있는지 알아보는 것이다. 셋째로 상황적 접근이다. 즉 어떤 상황에 들어가 그 분야에 능력이 있는지 없는지 알아보는 방법이다. 그런데 분명한 목적을 가지고 살면 자연스레 상황적 접근 방법으로 타고난 능력을 개발하게 된다.

그동안 나는 6권의 책을 써서 모두 성공했다. 이 책은 일곱 번째 책이다. 그리나 내가 글을 쓰고 연설을 하고 강연을 하는 데 능력과 재능이 있는지 전혀 몰랐다. 강사로 초청받는 상황이 되어 강연하고, 책을 쓰는 목적이 있어 책을 쓰니까 널리 알려지게 된 것이다.

1982년은 석은옥이란 아내의 이름 석 자에 담았던 인생 30년 목적 중 옥의 시대 10년 목적이 시작되는 해였다. 옥의 시대 10년 간의 목적은 약한 것들을 자랑해서 하나님께 영광을 돌리고 사회봉사를 시작하는 것이었다. 그래서 실명을 해서 한국 최초 맹인 박사가 될 때까지의 과정을 진솔하게 써서 책을 냈다. 그 책이 빛은 내 가슴에이다. 이 책이 성공하리라고는 아무도 상상하지 못했다. 그런데 그 책은 여섯 나라 말로 번역 출간되었으며 미 의회도서관에서 녹음 도서로 제작, 보급해 오고 있다.

그 책을 쓰기 전 나는 그런 재능이 있는지 전혀 모르고 있었다. 그러나 약한 것들을 자랑해서 하나님께 영광을 돌린다는 분명한 목적이 있었기에 담대히 자서전적인 에세이를 쓰게 된 것이다. 다시 말하면 상황적 접근 방법으로 타고난 재능 하나를 더 발견하게 된 셈이다. 그 책으로 인해 부시 대통령 가문과도 연결되고 노만 빈센트 필 박사나 로버트 슐러 박사와도 연결되었으니 분명한 목적을 가지고 사는 것이 얼마나 중요한지 실감할 수 있다.

1992년은 석은옥이란 아내의 이름 석 자에 담았던 인생 30년을 성공적으로 보람 있게 산 마지막 해였다. 그 해 6월 플로리다주 올랜도에서 열린 국제로터리 세계대회에서 연설을 하게 되었다. 올랜도 시빅센터는 158개국에서 참석한 3만여 대표로 가득 차 있었다. 그곳에서 톱스타를 방불케 하는 기립 박수를 받은 기억이 지금도 생생하다.

"저는 비록 실명을 했지만 어느 기준으로 보나 가장 많은 축복을 받은 사람들 중 하나이며 가정에서, 직장에서, 지역사회에서, 교회에서 완전 통합되어 비장애인들과 더불어 복된 삶을 살고 있습니다. 그러나 세계 도처에 흩어져 살고 있는 5억에 달하는 장애인들은 저와 같이 그렇게 사회에 완전 통합되어 있지 못합니다. ……이제 남은 인생은 덤으로 주어진 삶으로 주님께서 인도하시는 대로 주님의 시대를 살겠습니다. 그리고 주님의 시대에는 소외된 장애인들과 비장애인들 사이에 다리를 놓고 한미간, 그리고 국제간 다리를 놓아 국제이해와 세계평화 증진에 이바지하도록 노력하겠습니다……."

국제교육재활교류재단

석은옥의 시대 30년을 성공적으로 살고 주님의 시대에 성취할 새로운 목적을 설정하여 3만 여 동료 로터리 지도자들을 향해 공표했던 것이다. 그러한 분명한 목적이 설정되니까 목적을 달성할 수단으로 비영리 재단 창립을 생각하게 되었다. 생각이 거기까지 미치자 일년 전 노태우 대통령을 만날 때 "내가 도움이 된다고 생각되면 주저하지 말고 김학준 박사를 통해 연락을 주십시오."라고 했던 말씀이 생각나 청와대를 찾았다. 그리고 그 해 12월 국제교육재활교류재단이 창립되어 지난 10년 동안 장애인 재활을 통한 국제 이해와 우호 증진의 소기 목적을 달성하고 있다.

노태우 대통령은 1990년 알게 되었고, 비슷한 시기에 부시 전 미국 대통령도 알게 되었다. 개천에서 용이 난 것이나 다름이 없었다. 그런데 그 매개체가 내가 쓴 책이었다. 부시 전 대통령은 영문판 자서전 빛은 내 가슴에를 통해서였고 노 대통령은 아내와 공저한 어둠을 비추는 한 쌍의 촛불 때문이었다. 이 양국 정상을 거의 같은 시기에 알게 된 것은 또 하나의 축복이었다.

훗날 부시 전 대통령에게서 들은 것인데 양국 정상들은 중국과 러시아와 수교를 맺는 북방 정책 문제로 아주 가까웠다고 한다. 골프 회동도 여러 차례 했다고 하셨다. 그 이야기 끝에 노태우 대통령께서 나를 단독 면담하시고 상징적인 지원으로 국제교육재활교류재단 사회복지법인 인가를 받을 수 있었다고 했더니 무척 기뻐하셨다.

국제교육재활교류재단 첫 해 행사로 한국실명예방재단과 공동으로 하버드대 홍밍쳉 안과학 교수를 초청하여 제1회 국제학술대회를 개최했다.

그리고 그 이듬해인 1994년 제2회 국제학술대회 때는 부시 전 대통령이 비디오로 연설을 해주셨다. 그 연설을 토대로 김영삼 대통령의 비디오 격려 연설도 받아내니 그 다음부터는 세계적인 명성을 가진 강사들을 매년 초청하는 데 문제가 없었다. 그만큼 그 학술대회가 격상되었기 때문이다.

그동안 국제교육재활교류재단 손님으로 한국을 다녀간 분들 중에는 국제노동기구 사무총장 시절 유엔 장애인 행동 계획을 만든 존 맥도널드 대사, 카터 행정부에서 유엔 대사를 역임한 윌리엄 벤덴휘벨 루스벨트 재단 이사장도 포함되어 있다.

뿐만 아니라 케네디 대통령의 누이동생 케네디 스미스 전 아일랜드 대사와 루스벨트 대통령의 손자 두 분 등 미국과 유엔 고위 지도층이 다녀가 장애인 재활을 통해 한미간, 국제간 다리를 놓는 데 크게 기여해 오고 있다.

2002년 11월에 개최되는 제10회 장애인 재활 국제학술대회 강사진 중에는 주한, 주미 대사를 역임한 바 있는 제임스 레이니 에모리대학교 명예총장도 포함되어 있나.

레이니 명예총장은 16년 동안 에모리대 총장으로 재직하면서 에모리대를 최고 명문대학 중 하나로 발전시켰을 뿐만 아니라, 미국 고등교육 전반에

제10회 장애인 재활 국제학술대회 강사진 중에는 주한, 주미 대사를 역임한 바 있는 제임스 레이니 에모리대학교 명예총장도 포함되어 있다.

긍정적인 영향을 미쳐 20세기 미국에서 가장 위대한 대학총장 20명에 든 인물이다. 예일대학에서 신학박사 학위를 받은 후 미국 감리교단에서 목사 안수를 받고 한국 선교사로 파송되어 1960년대 초 5년 동안 연세대에서 가르치기도 했다. 주한 대사로 근무할 때 미국에서 오신 재단 손님들을 잘 맞아 주셨는데, 이번에는 직접 강사로 오셔서 "기독교 가치관과 장애인 재활"이란 주제로 기조연설을 하실 예정이다. 뿐만 아니라 2002년 11월 17일에는 사랑의 교회에서 주일 설교도 하시게 된다.

옥한흠 목사님이 시무하시는 사랑의 교회에서 협력하게 된 데에는 재미있는 사연이 있다. 나는 교단을 초월해서 세계 도처 수백 개 교회에서 집회를 인도했다. 가는 곳마다 긍정적인 영향을 미치고 있어 보람을 느껴왔는데, 지난 해 9월 마지막 주일 6번에 걸친 사랑의 교회 집회에서는 더욱 그러했다. 나의 저서 우리가 오르지 못할 산은 없다가 6천 권이 보급되고 테이프가 1만 5천 세트가 나갔다니 단일 교회 집회로는 신기록이다. 옥한흠 목사님 서신에 의하면 그 집회가 있은 지 두 주 후 10월 사랑의 축제 때 교회 역사상 최초로 새신자 2,700명이 결신했는데 내가 인도한 집회의 긍정적인 영향으로 평가하시는 것이었다.

그러한 파급 효과를 기대하면서 레이니 대사께서 장애인과 비장애인 간에 놓인 장벽을 무너뜨리기 위한 새로운 기독교 운동을 시작하는 설교를 사랑의 교회에서 하시도록 주선한 것이다. 또한 사랑의 교회는 장애인 종합 복지관을 운영하는 등 복지사업도 활발히 하고 있어 그것도 고려한 결정이었다.

한국에 세우는 굿윌 가게

제10회 국제학술대회는 국제교육재활교류재단 주도하에 일부 교회와 서울과 인디애나 소재 두 개 로터리 지구가 공동으로 세계 최대 사회복지 비영리 회사인 굿윌 인더스트리를 시작하는 전기를 마련해 주게 된다. 서울에서는 목동에 소재한 세신 감리교회와 부산 호산나교회가 각각 굿윌 가게를 열기로 동의했다.

굿윌 가게는 중고 의류, 가구 등 여러 가지 물품을 기증받아 분류하여 가격을 정해 필요한 고객들에게 판매하는 가게인데, 한 가게를 운영하는 데 31명이 고용된다. 그중 18명이 장애인이고 13명이 비장애인으로 장애인 고용 창출에 크게 기여하게 된다. 미국에는 그러한 굿윌 가게가 전국에 1,700개가 있으며 연간 총 수익은 9억 달러 정도 된다고 한다. 미국 내 굿윌 인더스트리 연간 총 예산 20억 달러의 절반 가까이 되는 것이다. 뿐만 아니라 벌어들인 수익의 87%는 불행 때문에 낙망하여 낙오된 사람들을 위해 쓰인다.

한국에 굿윌 인더스트리가 도입되는 것은 특별한 의미가 있다. 40년 전 인생 5년 지각생이 되어 대학에 진학할 나이에 서울맹학교 중등부 1학년으로 새출발을 할 때, 학비를 도와준 분이 있었다. 이화여대 사회사업과를 나와 내가 입원했던 국립의료원에서 근무했던 이선희 선생님이었다. 그분은 타계하신 공병우 박사께서 사재로 운영하셨던 맹인부흥원에 나를 보내 점자와 한글 타자를 배우게 한 후 서울맹학교에 등록금을 내주고 입학을 시켜주셨다. 훗날 알게 된 것인데 굿윌 인더스트리에서 운영 전반에 걸친 교육을 받고 한국으로 돌아가 한국 실정에 맞는 굿윌 인더스트리를 설립, 장애인 고용을 촉진시키기로 되어 있었다고 한다. 그런데 배우자를 만나 결혼하는 과정에서 끝내 약속을 지키지 못해 죄책감을 느끼고 살았다고 한다.

이선희 선생님이 LA 굿윌 인더스트리에서 교육을 받을 때 섭외부장댁에 저녁 초청을 받았는데, 그 자리에서 내 이야기가 나와 나는 그분들을 양부모로 소개받게 되었다. 나는 그때부터 굿윌 인더스트리와 간접적인 인연을 맺게 되었고, 5년 전 굿윌 인더스트리 국제본부 이사로 추대되어 봉사하고 있다. 그러므로 모국인 한국에 굿윌 인더스트리를 도입하는 것은 나의 첫 은인인 이선희 선생님의 숙원을 이루는 것일 뿐 아니라, 굿윌 인더스트리 운동의 선구자요 개척자 역할을 담당했던 양아버지의 유업을 이어받는 셈이 된다.

그 뿐만이 아니다. 중견 상장 기업인 DI 그룹 창업 회장이었던 우리 재단 박기억 이사께서 한국 로터리를 중심으로 이 사업을 진행하시려다 뜻을 이루지 못하고 애석하게 타계하시고 말았다. 나는 그분 상례식에 참석하여 추도사를 하면서 남기고 떠나신 굿윌 인더스트리 프로젝트를 반드시 성사시키겠다고 약속했었다.

그러므로 국제교육재활교류재단 주도하에 국제 로터리 재단 상응 보조 프로젝트로 일부 대형 교회 중심으로 굿윌 인더스트리가 도입되는 것은 우연이 아니다. 하나님의 섭리 가운데 이루어지고 있는 것이 분명하다.

한국에는 17개 로터리 지구에서 4만 명 이상의 회원이 봉사하고 있다. 그중 박기억 이사께서 총재를 역임하신 3650지구가 이번 프로젝트에 참여하고 있다. 미국에서는 프로젝트를 진행하고 있는 인디애나 굿윌 인더스트리 제임스 매클레랜드 사장이 소속되어 있는 6560지구가 참여하고 있다. 두 지구가 각각 12,500달러를 기부하고 국제 로터리 재단에서 25,000달러를 상응 보조금으로 지원하게 되는 총 50,000달러 프로젝트로, 세신 감리교회와 부산 호산나교회가 굿윌 가게를 열어 운영하는 것을 기술적인 측면에서 돕게 된다.

“참된 것인가? 공정한 것인가? 관계된 사람들에게 유익이 되는가? 친선과 우정에 도움을 주는가?” 등 4가지 기준을 준거로 로터리 봉사 프로젝트 활동을 결정하는데, 물론 이번 프로젝트는 이 기준에 다 들어맞는다.

김종수 목사님이 시무하시는 세신교회와 한민족 복지재단 이사장이기도 하신 최홍준 목사님이 시무하시는 부산 호산나교회가 선정된 것은 무엇보다도 3~400평의 가게터를 제공할 수 있고 장애인 고용 증대에 커다란 관심과 의지가 있었기 때문이다. 이번 프로젝트가 성공하면 각 도시 대형 교회가 줄줄이 참여하게 될 전망이다.

부산 호산나교회에는 이미 장애인 사회복지재단이 있어 유리한 점이 많다. 세신교회 김종수 목사님 부부는 연세대 동문이신데 최근 사모님이 망막 퇴색증으로 약시자가 되어 재활 사업에 큰 관심을 보이던 차 나를 만나게 된 것이다. 특히 두 교회 모두 책으로 연결되어 집회에 강사로 초청되면서 알게 되었다. 세신교회 강춘실 사모는 1998년 아버지와 아들의 꿈이 처음으로 출간되어 교보문고에서 사인회를 할 때 오셔서 알게 되었는데, 그 후 특별성회 강사로 초청하신 것이었다.

이제 나는 귀재라는 과찬을 받을 정도로 카리스마와 리더십을 인정받고 있다. 그러나 10년 전만 해도 그러한 카리스마나 리더십이 내게 있는 줄 몰랐다. 장애인 재활을 통한 국제이해와 세계평화라는 선명한 비전과 분명한 목적을 가지고 국제무대에서 활동하다 보니 개발이 된 것이다.

당신도 할 수 있다. 선명한 비전과 큰 꿈을 품으라. 그리고 그 꿈을 성취할 수 있는 분명한 목적을 세우라. 당신만이 할 수 있는 고유한 능력과 재능이 반드시 있다. 당신에게는 그것을 최대로 개발해야 할 사명과 책임이 있다는 사실을 잊지 말라.

상대평가는 이제 그만

얼마 전 서울에서, 미국 명문대학에서 박사학위를 받고 유수한 대학에 교수로 있는 후배 가정에 저녁식사 초대를 받아 갔었다. 오래간만에 만나 즐거운 대화를 나누고 있는데 초등학교에 다니는 후배 아들 녀석이 신이 나서 큰소리로 엄마를 부르며 들어왔다.

"엄마, 엄마! 나 산수 백점 맞았어!"

"그래? 그럼 네 짝은 몇 점 받았니?"

그러자 약간 시무룩해진 어조로 아이는 대답했다.

"걔도 백점 받았어."

"그럼 문제가 쉬웠나 보구나."

젊은 부모들이여, 당신은 똑같은 상황에서 어떻게 반응하겠는가? 미국에서 2세 청소년들이 한국인들의 특징을 측정하는 평가 도구로 '코리안 테스트'를 만들었는데 그 문항 중 하나는 이러하다.

"당신의 부모는 당신과 다른 사람들을 비교하기를 좋아하신다. 그러면서도 당신의 부모를 다른 부모와 비교하면 사람을 비교한다고 화를 내실 것이다."

당신은 어떠한가?

평가 방법에는 어느 집단에서 평균치를 내서 그것을 중심으로 사람과 사람을 비교하는 상대평가와 능력, 행동 또는 목적을 준거로 어느 정도 도달했는지 평가하는 절대평가가 있다. 평가 목적에 따라 달리 쓰이고 때로는 혼합해서 쓰이기도 한다. 두 가지 평가 방법이 장단점이 있어서 서로 보완해서 사용하는데, 한국인들은 상대평가 중심으로 사고방식이 고정되어 있는 듯하다.

그러나 인생은 마치 마라톤 경기와 같아서 최종 목표를 향해 멈추지 않고 계속 달려가는 것이다. 그러니까 인간과 인간을 비교하는 상대평가 방법으로는 불리할 수밖에 없다. 상대평가에서는 항상 승자와 패자가 있게 마련이고, 패배하게 되면 위축감, 열등감, 패배감을 느끼기 쉽고 마음에 상처가 생기면 자신감과 자긍심에도 손상이 오게 마련이다. 그러나 절대평가 방법에 의해 큰 꿈을 안고 비교 경쟁하지 않고 정진하면, 중간에 포기를 해도 그 만큼의 성취는 가능하게 되는 것이다. 또한 패배로 인한 열등감, 위축감 등 심리적 문제도 피할 수 있다.

세계화 시대, 무한 경쟁 시대에 비교 경쟁을 전혀 안할 수는 없지만 불필요한 비교 경쟁이 민족성의 일부가 되어서는 안 될 것이다. 특히 젊은이들의 의식이 상대평가 중심 사고에서 절대평가 중심 사고로 변해야 성취자 또는 과성취자들이 많이 배출되어 타민족의 부러움을 사게 될 것이다.

미국이 우주 경쟁에서 소련에게 지고 있었을 때의 일이다. 소련이 인류 최초의 인공위성을 띄웠을 때 미국인들은 불안과 공포에 떨었다. 인공위성을 띄우는 과학기술로 정보를 정탐하고 장거리 미사일을 개발하여 공격하면 어찌나 해서였다. 그래서 아이젠하워 대통령은 국가 위기를 선언하고 대책마련에 힘썼다. 그러나 후임 대통령으로 선출된 케네디는 달랐다. 소련과 비교 경쟁하지 않고 국민들에게 비전을 제시하고 그것을 향해 달리는 절대평가 사고로 전환했던 것이다. 케네디는 향후 10년 후인 1971년까지는 달나라에 인간을 착륙시킨다는 장기 목적과 계획을 공표했다. 케네디는 2년 후 세상을 떠났지만 그 목적은 계획대로 10년 후에 달성되었다.

박정희 대통령도 유사한 방법으로 성공을 거두었다. 새마을이란 선명하고 구체적인 비전을 제시하고 가난을 물리치고 행복을 추구하는 분명한 목적을 제시했던 것이다. 뿐만 아니라 5년마다 달성할 경제 지표를 만들어 그 지표를 달성하게 했던 것이다.

우리는 이 땅에 태어날 때 서로 다른 기본 능력과 재능을 가지고 태어났다. 다시 말하면 좋아하고 잘할 수 있는 것이 서로 다르다는 말이다. 화단에 뿌려지는 꽃씨가 다르듯이 타고난 능력이 서로 다른데 비교 경쟁하는 것은 모순이 아닐 수 없다. 사과는 사과끼리 비교해야지 오렌지와 비교해서는 안 된다. 또한 채송화 씨는 자라서 채송화꽃을 피워야지 국화꽃을 피우려고 애쓴다고 해서 그렇게 될 수 있는 게 아니다. 비교 경쟁하지 말고 타고난 능력을 최대로 개발하여 성취자가 되라.

당신만이 좋아하고 잘할 수 있는 능력과 재능을 가지고 이 세상에 태어났다는 사실을 믿으라. 이는 자녀 교육에도 적용되는 검증된 진리이다. 개발해야 할 능력과 재능이 각자 다르기 때문에 달성해야 할 목적도 서로 다르고 그 목적을 달성하는 절차와 방법도 서로 달라진다. 그래서 개별화 교육 또는 개별화 학습의 원리가 나오게 된 것이다.

당신이 좋아하고 잘하는 분야에서 기본 능력을 최대로 개발하여 아름다운 인생의 꽃을 피우고 열매를 맺으라. 희귀한 꽃이 더 아름다운 것이다. 다른 사람 흉내 내다 시간 낭비하고 후회하지 말고 고유한 꽃을 피우라.

20세기를 마감하면서 타임지는 19세기 인물로 토머스 에디슨을, 20세기 인물로 앨버트 아인슈타인을 선정하였다. 세기의 인물로 선정된 이 두 사람은 타고난 능력을 개발하는 것과 관련해서 공통성이 있다.

첫째로 상대적인 비교 평가의 관점에서 보면 둘 다 패배자요 낙오자였다. 에디슨은 학교에서 바보라고 거부당한 낙제생이었다. 그러나 그의 어머니는 타고난 기본 능력을 발견하고 믿어주었다. 에디슨은 그것을 최대로 개발하겠다는 목표를 세우고 포기하지 않고 그 목표를 향해 나갔던 것이다. 아인슈타인도 마찬가지였다. 성적이 부진했을 뿐만 아니라 학교생활에 적응을 못해 결석이 잦았으며 언어에도 문제가 있었다. 전학을 하면 나아질까 해서 여러 차례 전학을 했으나 상황은 마찬가지였다. 이렇게 상대평가 관점에서는 낙오된 학생이었지만 수학 능력이 뛰어난 것을 최대로 개발하도록 했던 것이다.

둘째로 이 두 사람은 개인 내에서 능력보다는 무능력이 더 많았던 사람들이다. 인간은 상호간 차이가 있을 뿐만 아니라 개인 내에서도 차이가 있다는 말이다. 그러므로 교육에서는 서로 다른 개인의 능력뿐만 아니라 개인 내 능력 차이를 존중하고 발견해서 개발하는 것이 중요하다. 에디슨과 아인슈타인의 개인 내 능력 차이가 무시되었다면 그들은 한 세기의 인물은커녕 인생 낙오자로서 생을 마쳤을 것이다. 그러면 1,093개에 달하는 에디슨의 발명 특허도, 아인슈타인의 상대성 이론도 훗날 다른 사람들에 의해 발명되고 발견되어야 했을 터이니 그만큼 인류 문화 창달은 늦어졌을 것이다.

얼마 전 서울에서 에디슨과 아인슈타인과 관련된 재미있는 이야기를 들어 소개하기로 한다. 구한말 개화파 김옥균이 하늘나라에서 옥황상제와 바둑을 두어 이겼다고 한다. 김옥균은 소원으로 아인슈타인과 에디슨을 대한민국에 다시 태어나게 해달라고 했다. 옥황상제는 약속이기 때문에 그 소원을 들어주었다. 그 후 한 세대인 30년이 지나 김옥균이 하늘에서 대한민국을 내려다보았다. 그랬더니 아인슈타인이 물지게를 지고 막일을 하고 있는 것이었다. 그 이유를 물었더니 이렇게 대답하더란다.

"한국에서는 14과목 모두를 잘해야 좋은 대학에 가는데 나는 수학과 과학만 잘하기 때문에 대학도 못가고 허드레 일을 합니다."

한편 에디슨은 골방에 앉아서 육법전서를 읽고 있었다. 그래서 김옥균이 발명을 해야지 왜 쓸데없이 시간만 낭비하고 있느냐고 물었더니 이렇게 대답했다고 한다.

"발명은 했는데 특허를 받는 절차가 까다로워 발명 특허를 못 받고 지금 특허를 받는 법을 공부하고 있습니다."

한국 현실을 풍자한 농담이지만 교육의 진리를 잘 표현하고 있다. 여러 분야의 능력을 고루 갖추고 태어나는 사람들도 있다. 소위 말하는 팔방미인들이다. 그러나 다재다능한 영재들도 가장 좋아하고 잘할 수 있는 것을 선택해서 집중적으로 개발하는 것이 바람직하다. 길퍼드는 개인의 지적 능력을 120가지로 분류했다. 그 120가지 능력을 다

가지고 태어나는 사람은 없다. 어떤 것은 우수하고 어떤 것은 보통이고 어떤 것은 보통 이하도 될 수 있는 것이다. 다시 말하면 한 개인 내에 능력과 무능력이 동시에 존재한다는 말이다. 그것이 개인 내 차이이다.

직업분류사전에 따르면 현대인이 종사하는 직업이 3천 종류가 넘는다고 한다. 그러면 그 중의 대부분의 직업은 흥미도 없고 능력도 없고 적성도 없을 것이다. 하지만 적어도 한두 개는 당신이 정말 좋아하고 잘할 수 있는 것이 있을 것이다. 흥미도 없고 능력도 없는 것들을 애써서 개발하려고 하지 말라. 오직 가장 좋아하고 잘할 수 있는 분야만 최선을 다해 개발하면 성취자 또는 과성취자가 될 것이다.

육안이 아닌 비전으로 성취자로서의 당신의 밝은 미래를 보라. 그리고 타고난 능력 중에서 당신이 가장 좋아하고 잘할 수 있는 능력을 골라 최대로 개발해서 독특한 향기를 내는 아름다운 꽃을 피우라. 비교 경쟁하지 말고 선명한 비전과 분명한 인생의 목적을 가지고 그것을 향해 결코 포기하지 말고 달리고 또 달리라. 달리다 지쳐 쓰러지면 에디슨과 아인슈타인을 생각하라.

당신도, 당신의 자녀도 개인 내 능력 차이를 이해하고 절대평가 관점에서 인생을 살면 에디슨과 아인슈타인처럼 성취자의 삶을 살 수 있다는 진리를 믿으라. 그리고 실천하라. 누구나 다 성공자가 되고 성취자가 될 수 있다!

5

사랑과 봉사로 리더십을 길러라

Compassion, 아픔에 동참하는 마음

Service, 봉사

Action, 실천

"십리를 간 사람들"(extra mile pathway)

실력과 인격과 전문성을 갖추라

Leader, 지도자의 길

평범한 사람들로서 사랑과 봉사를 실천하다가 지도자로 우뚝 서게 된 이들의 기념관이 생기게 되었다. 좋은 세상 만드는 꿈을 가지고 살다가 마침내 그 꿈을 실현한 당신과 나 같은 보통 사람들의 기념관이 세워지는 것이다. 민간 지도자들, 사랑과 봉사로 차별 없고 편견 없는 더 좋은 세상을 만드는 데 기여한 사람들이 기억되고 추모되게 된 것이다.

5
사랑과 봉사로 리더십을 길러라

Compassion, 아픔에 동참하는 마음

2001년 9월 11일 뉴욕 세계무역센터에 테러 사건이 있은 지 한 달 후 부시 대통령은 사건 후 처음으로 기자회견을 가졌다. 나는 그 기자회견을 텔레비전으로 시청했다. 기자들의 질문에 답을 끝낸 부시 대통령은 이례적으로 어린이들을 위한 백악관 프로젝트를 공표했다. 그 내용은 다음과 같았다.

"어린이 여러분, 세차를 하든지 잔디를 깎든지 여러분들이 할 수 있는 아르바이트를 해서 돈을 버십시오. 그리고 그중 1달러를 백

Compassion

악관 주소로 보내십시오. 그러면 그 돈은 아프카니스탄 전쟁고아들이 추운 겨울을 나도록 도와주는 데 쓰일 것입니다. 아프카니스탄 어린이 3명 중 1명은 고아가 되어 굶주리고 추위에 떨고 있습니다. 그런 어린이들에게 여러분들의 사랑을 전해주는 것입니다. 그러나 기억하십시오. 여러분들이 주는 것보다 받는 것이 훨씬 더 클 것입니다. 왜냐하면 여러분들은 봉사와 리더십의 근본인 아픔에 동참하는 마음(compassion)을 배우게 될 것이기 때문입니다."

그 다음날 언론들은 천육백만 어린이들을 위한 우수한 정책이라고 호평했다. 교육가로서 나도 공감이 되어 바로 부시 대통령께 한 장의 편지를 써서 보냈다.

"……천육백만 어린이들에게 봉사와 리더십의 근본인 사랑과 온정을 가르쳐 주시려는 교육적 의도가 담긴 백악관 모금 프로젝트를 절대 지지합니다. 맥코믹 신학교에서 특강을 하고 받은 강사료 천 달러를 그 프로젝트를 위해 동봉합니다. 그러한 가치관이 성경에 기초하여 정책에 반영된 것이기 때문에 더욱 의미가 있는 것 같습니다.

또한 부전자전이라고 당신의 부친께서 사랑에 근거한 리더십을 강의하시는 것을 들었습니다. 저도 젊은 세대들을 위한 강연회에서 종종 당신 부친의 말을 인용하는데 이제는 당신 부자를 인용할 수 있으니 가벼운 흥분마저 느낍니다……."

그렇다. 부시 대통령 말대로 지도층의 자질인 아픔에 동참하는 마음도 학습되는 것이다. 그러기에 아버지 부시 대통령은 "백악관에서 대통령이 하는 일보다 각 가정에서 "compassion", 즉 아픔에 동참하는 마음을 자녀들에게 가르치는 것이 더 중요하다."고 역설하는 것이다. 41대 대통령 재임 시 노모가 세상을 떠나셨지만, 어릴 때 가르쳐 주신 7가지는 머리 속에 남아 있는데, 그중 하나가 아픔을 함께하는 사랑에 근거한 지도자가 되라는 것이었다고 한다.

"compassion"을 영한사전에서 보면 "동정, 긍휼히 여기는 마음 또는 불쌍히 여기는 마음"이라고 되어 있다. 그러나 이는 원래 의미가 그대로 잘 번역된 것은 아니다. 왜냐하면 그러한 한국말에는 상하 개념이 암시되어 있기 때문이다. 긍휼히 여기는 사람은 우월한 위치에 있고 긍휼히 여김을 받는 사람은 열등한 위치에 있다는 것이 내포되어 있기 때문이다. 유명한 언론인이자 시인인 에릭 호퍼는 봉사와 지도력의 기본 자질이 되는 "compassion"은 선과 악을 초월해서 존재하는 인간의 순수한 마음이며 영혼의 항독소라 했다. 그리고 용기, 충성, 신앙 등 대부분 인간의 고귀한 가치는 때에 따라 잔인한 행동을 유발하지만 "compassion"만은 유일하게 잔인한 행동을 유발하지 않는 순수한 마음이라고 했다.

Service, 봉사

참된 지도자는 섬기고 봉사하는 것이다. 그러기에 지도자의 자질로 섬기고 봉사하는 데 필요한 고통을 나누는 마음이 기본이 되는 것이다.

아버지 부시 대통령은 앞서도 얘기했지만 그러한 지도자의 자질은 가정에서 부모, 특히 어머니로부터 배웠고 국가를 통치하는 비전은 필립스 아카데미에서 가지게 되었다고 한다. 어린 시절 형제가 같은 방을 쓰는 것이 불편해서 독방을 달라고 조르면 어머니는 형제간에 서로 사랑과 고통을 나누는 마음을 가져야 한다고 끝내 독방을 주지 않았다고 한다.

그가 국가를 통치하는 비전을 필립스 아카데미에서 얻었다고 했는데 그 학교의 모토는 "나 자신을 위해서가 아닌"이다. 필립스 아카데미 양교 중 앤도버는 1778년에 사무엘 필립스가 영국으로부터 독립한 새 나라를 이끌어갈 인재 양성을 목적으로 설립했으며 엑서터는 3년 후인 1781년에 조카인 존 필립스가 설립했다. 양교는 지난 220년 이상 미국의 각계 지도자들을 가장 많이 배출한 것으로 알려져 있다. 그런데 그 두 학교 설립자는 건학 이념(나 자신을 위해서가 아닌, not for self)을 성경에서 가져왔다고 한다.

즉, 누가복음 6:38의 "주라 그리하면 너희에게 줄 것이니"라는 데서 지역사회와 국가와 세계를 위해 최선의 것을 주는 인재 양성을 생각했고, 고린도전서 10:31의 "너희가 먹든지 마시든지 무엇을 하든지 다 하나님의 영광을 위하여 하라"는 데서 하나님의 영광을 위해서라는 영감을 받았다고 한다. 요컨대 나 자신을 위해서가 아닌 이웃 사랑 실천으로 하나님 나라가 이 땅에 임하게 하는 일꾼들을 양성한다는 뜻이다.

필립스 아카데미의 건학 이념을 염두에 두고, 부시 전 대통령의 취임식에서의 기도와 국가를 통치하는 비전은 앤도버에서 가지게 되었다는 말을 생각해 보면 일맥상통하는 것을 알 수 있다. 다시 말하면 국가와 국민들을 위해 섬기고 봉사하는 것이 통치자의 참된 모습이라는 것이다.

아버지 부시는 4남 1녀를 양육했다. 다섯 자녀 모두 기숙사 학교에서 교육시켰는데 필립스 아카데미에서 교육받은 두 아들만 하나는 대통령이 되고 또 하나는 플로리다 주지사가 되었다. 그러니까 "나 자신을 위해서가 아닌"이란 교육이념 하에 교육을 받은 삼부자는 미국 최고 지도자들이 되었고 다른 학교에서 다른 건학 이념 하에 교육받은 다른 세 자녀는 지도자로서 두각을 나타내지 못하고 있다. 우연일까 아니면 교육의 영향일까?

부시 현 대통령은 필립스 아카데미 재학 지절 토머스 라이언 선생님에게 역사를 배웠는데, 그 선생님은 하반신 중증 장애인으로 휠체어에 의존하고 있다. 그런데 43대 대통령으로 당선되어 취임식을 준비할 때 많은 은사들 중 토머스 라이언 선생님께 연락해서 준비 위원장을 해달라고 요청했다. 더군다나 그 선생님은 공화당도 아니고 민주당이었기 때문에 더욱 인상적이었다.

토머스 라이언 선생님은 연방 상원에서 고문 변호사로 근무하고 있는 작은 아들 진영이의 은사이기도 하다. 그러니까 부시 대통령을 가르치고 30년 후 진영이를 가르쳤던 것이다. 그래서 나도 알고 지내는 사이가 되었다. 호기심에서 졸업 후 부시 대통령과 계속 연락이 있었느냐고 물었다. 그랬더니 전혀 없었고 34년 만에 처음으로 대통령 당선자로서 장편의 서신을 써보냈다는 것이었다. 그 편지에서 부시 대통령은 고교 시절 역사 시간에 배운 것이 통치 철학에 가장 큰 도움을 준다고 한 후 취임식 준비를 맡아 달라고 요청했다는 것이다.

토머스 라이언 선생님은 하버드대 출신으로 신체장애에도 불구하고 여러 가지 스포츠도 즐기고 가장 인기 있는 선생님 중 한 명이었다. 최근 은퇴를 하셨는데, 내가 부시 대통령 임명을 받아 상원인준을 거쳐 백악관 장애인 정책 차관보가 되었다는 소식을 전했다. 그랬더니 축하한다고 하시며 부럽다고 하시는 것이었다. 그래서 내가 “아니, 제자가 대통령이고 역시 제자가 백악관 인시국장으로 있는데 뭐가 문젭니까? 부탁을 하시면 다음 기회에 자리를 드릴 것이 아니겠습니까?”라고 했다. 그랬더니 이제는 늙었고 열정과 사랑으로 봉사할 수 있는 젊은이들이 얼마든지 있다고 하시는 것이었다.

Action, 실천

진영

우리 부부는 진석이와 진영이가 엑서터와 앤도버에서 사랑과 봉사로 지도력을 기를 기회를 가진 것을 매우 자랑스럽게 생각한다. 그러나 진영이 때는 그에 따르는 마음의 아픔도 매우 컸다. 진석이는 초등학교 시절 공부를 잘 못해서 마음 고생을 했었지만 진영이는 유치원에서 11학년 때까지는 완전한 학생이었다. 그런데 11학넌 때부터 신문 공동 편집장을 하면서 지역사회 봉사에 너무 많은 시간을 할애하는 것이었다. 워낙 성적도 우수하고 탁월해서 하버드대 조기 입학을 앞두고 있었는데, 12학년 두 번째 학기에 설마하고 방심하다가 마지막 학기에 최저로 요구되는 성적을 유지하지 못해 조기 입학이 취소되게 되었다.

나는 너무 속상하여 "이제 하버드대도 못 가게 되었으니 모든 것이 다 물거품이 되어 버렸구나? 너의 봉사를 도대체 누가 알아주니?" 하고 꾸짖었다. 그랬더니 "그래도 제가 특별히 디자인된 티셔츠를 팔아 모금한 천오백 달러를 양로원에 기증했으니 그곳 노인들은 제 사랑과 정성을 기억할 거예요."라고 하는 것이었다.

그래서 집 가까이 데려다 놓고 감독을 강화하기 위해 시카고대에 진학하도록 했다. 시카고대는 노벨상 왕국이라는 별명에 걸맞게 공부를 어렵게 시키는 것으로 유명하다. 뿐만 아니라 교양 교육도 가장 폭넓고 어렵게 하는 것으로 정평이 나 있다. 그런데 진영이는 앤도버에서 4년 동안 지역사회와 국가와 세계를 위해 최선의 것을 주는 교육에 익숙해진 탓인지 다시 봉사 활동에 지나칠 정도로 많은 시간을 보내는 것이었다.

처음에는 걱정도 하고 실망도 했다. 그러나 그것은 공연한 기우였다. 공부할 때는 집중하여 열심히 해서 정치학과 경제학을 전공했다. 그러면서도 대학 내에 지역사회 봉사 센터를 창설, 소장으로 열심히 봉사 활동도 했다. 대학 3학년 때는 학생 대표 이사로 출마, 당선되어 재단 이사회에서 지도력을 기르기도 했다. 그래서 30세 미만 청년들에게 주는 대통령 차세대 지도자상을 수상하고 시카고대 동문회가 시상하는 최고 봉사상인 하웰 머레이상도 수상했다.

또한 학생 지도자로 두각을 나타내니까 아버지인 나도 세계 명문 시카고대 소넨샤인 총장과 사귈 수 있었다. 법학전문대학원에 진학할 때도 10대 명문 중 7개를 지원하여 모두 합격하였다. 사랑과 봉사로 탁월한 리더십이 개발되어 그만큼 추천서들이 좋았기 때문이라 생각된다.

그 뿐만이 아니었다. 봉사 활동을 통해 배우자도 만날 수 있었다. 그러니까 결국 하버드대를 못 가고 시카고대로 오게 된 것도 지나친 지역사회 봉사 활동 때문이었고, 시카고대에서 우등생으로 차세대 지도자로 우뚝 서게 되고 장차 아내를 만난 것도 지역사회 봉사 활동 때문이었다.

부모 입장에서 진석이는 하버드를 나왔는데 더 명석하다고 믿었던 진영이가 하버드를 못 가게 되니 무척이나 아쉽고 섭섭했었다. 그러나 그 일이 전화위복이 되어 미국 최고 엘리트로 미국의 위상을 높이고 변화시키는 중책을 담당하고 있으니 그저 대견할 뿐이다. 게다가 며느리가 하버드대 법학전문대학원을 나와 워싱턴에 있는 유수 법률 회사에서 일하면서 아들을 내조하고 있으니 금상첨화라 하지 않을 수 없다.

미래를 꿈꾸는 젊은이들이여, 사랑과 봉사로 지도력을 기르라. 나를 위해 살지 말고 남과 사회를 위해 살라. 그러면 성취동기가 절로 생기고 21세기를 이끌어 가는 리더십이 길러질 것이다. 이 세대는 바로 섬기고 봉사하는 지도자를 필요로 한다.

한양대

신약성경 마가복음 2:3-12에는 고침받은 중풍병자 이야기가 나온다. 그 전신마비 장애인이 아무리 믿음이 좋아도 예수께로 옮겨 준 네 친구가 없었더라면 그러한 기적은 일어날 수 없었다. 사람이 누워 있는 침상을 메고 군중을 헤치고 남의 지붕까지 뚫고 들어가는 일은 아무나 할 수 없다.

우선 그 전신마비 장애인의 고통을 함께 나누는 마음이 있어야 한다. 그러나 그러한 착한 마음씨는 필요조건이지 충분조건은 아니다. 따가운 시선에도 불구하고 침상을 메고 군중을 헤쳐 남의 집 지붕까지 뚫고 이동시키려면 용기도 있어야 하고 사회정의실현에 대한 믿음과 꿈도 있어야 한다.

뿐만 아니라 5리를 가자고 하면 10리를 가는 봉사 정신이 요구된다는 것은 말할 나위도 없다. 이러한 모든 속성은 지도자의 자질을 형성시킨다. 그러므로 사랑과 봉사를 실천하는 사람들은 지도력을 개발할 기회가 많아지게 마련이다.

한양대학교 김종량 총장은 연세대 교육학과 동기동창이다. 컬럼

비아대학교 사범대학원에서 교육학 박사 학위를 받고 교육공학 교수로, 현재 3선 총장으로 존경받으며 한양대의 획기적인 발전을 이루어 나가고 있다. 가끔 만나면 한양대 이야기도 하게 되는데, 어느 날 우연찮게 한양대 건학 이념이 "사랑의 실천"이라는 사실을 알게 되었다. 3학섬짜리 사회봉사 과정도 있나고 했나. 그러한 대학에서는 사랑과 봉사로 리더십을 개발하는 인재들이 많이 배출되게 마련이다.

대기업 중역 중에는 한양대 출신이 이례적으로 많고 산업 현장에서 리더로 일하는 엔지니어의 60% 정도가 한양대 출신이라고 한다. 서울대 출신들은 학계에서 주로 일하고, 산업 현장에서는 오히려 한양대 출신이 우세하다는 것이다. 그러한 통계는 우연이 아니라 "사랑의 실천"이라는 건학 이념 하에 지도자들이 길러진다는 단순한 진리를 입증하는 자료라 할 수 있다.

아내

나에게도 지금의 기적을 가능하게 도와준 인간 천사들이 많았다. 그중 대표적인 사람이 십대 후반에 만나서 지난 40년 동안 벼랑 끝에서 백악관까지 동행했으며 유학과 명문가의 꿈을 함께 이룬 나의 아내이다. 주변의 따가운 시선에도 불구하고 나의 눈이 되어 글을 읽어 주고 지팡이가 되어 길을 안내해 주었다.

숙명여대 재학시절 나를 데리고 아무데나 잘 다니는 것을 보고 구본술 박사께서는 특별한 재능이라고 칭찬하시기도 했다. 그런데 교육 전문가로 지금 와서 생각하니 그것은 재능이라기보다 사랑과 봉사를 실천하는 리더십이었다.

당시 아내는 대한적십자사 청년 봉사회 부회장으로 봉사 활동을 하고 있었다. 당시 총무를 맡았던 박기륜 전 대한적십자사 사무총장을 얼마 전에 만나 반가운 마음을 나누었다. 아내는 서영훈 적십자사 총재께서 청소년부 부장으로 계실 때는 사무 봉사도 했다. 이렇게 사랑과 봉사로 리더십이 길러지기 때문에 영어 표현에서 봉사와 리더십(service and leadership)을 묶어 종종 함께 쓰는 것은 우연이 아니다.

그렇게 길러진 봉사와 리더십으로 아내는 지난 사반세기 동안 석사학위 공립학교 종신 특수교사로 흔적을 남길 수 있게 되었다. 미국여성명사인명사전과 미국교육계인명사전에 오를 정도로 리더십을 인정받은 것이다. 최근에는 모교인 숙명여대 미주 총동문회를 조직하는 데 산파 역할을 하고 현재 이사장을 맡아 동분서주하고 있다.

이렇듯 아내의 일생은 헌신적인 사랑과 봉사 실천의 연속이었다. 그러나 그러는 동안 서울 사대부고 시절 꿈꾸었던 사랑에 근거한 교육자의 꿈도 이루었고, 청파동 숙명여대 캠퍼스에서 품었던 아내와 어머니로서의 놀라운 꿈도 이룰 수 있었다.

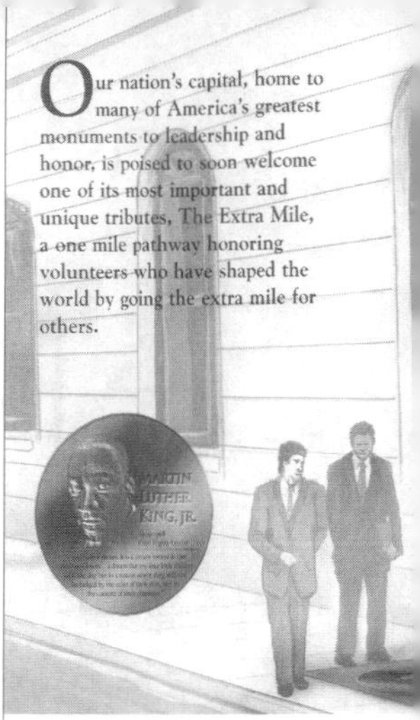

"십리를 간 사람들"(extra mile pathway)

역사는 창조된다. 에이브러햄 링컨이나 프랭클린 루스벨트 대통령과 같은 위대한 영도자에 의해서도 새로운 역사가 창조되고, 조지 워싱턴 장군이나 더글러스 맥아더 장군과 같은 전쟁 영웅들에 의해서도 역사가 만들어진다. 그러나 대통령도 아니고 장군도 아닌 교육자, 성직자, 간호사 등 평범한 사람들에 의해서도 새로운 역사는 창조되고 있다.

미국의 수도 워싱턴에 가면 영국으로부터 미국을 독립시키는 데 주역을 감당한 조지 워싱턴, 독립선언문을 만든 토머스 제퍼슨, 노예를 해방시킨 에이브러햄 링컨, 세계 2차대전을 승리로 이끌고 미국을 경제 공황에서 구출한 프랭클린 루스벨트 대통령 기념관이 세워져 있다. 그리고 한국전쟁기념관, 세계 2차대전기념관, 베트남전쟁기념관 등 전쟁에서 희생된 영혼들을 추모하고 전쟁 영웅들을 기념하는 기념관들이 있다.

그러나 아직까지 평범한 사람들로서 미국의 위상을 높이고 더 좋은 세상을 만든 이들의 기념관은

"하나님은 평범한 사람들을 좋아하신다. 그래서 평범한 사람들을 많이 만드셨다."
에이브러햄 링컨

"또 누구든지 너로 억지로 오리를 가게 하거든 그 사람과 십리를 동행하고"
– 마태복음 5:41

없었다. 그러나 이제 그러한 기념관 설립이 이미 시작되었으며 2003년에 제막식을 가질 예정이다.

평범한 사람들로서 사랑과 봉사를 실천하다가 지도자로 우뚝 서게 된 이들의 기념관이 생기게 된 것이다. 교사로, 성직자로, 간호사로, 사회사업가로 좋은 세상 만드는 꿈을 가지고 살다가 마침내 그 꿈을 실현한 당신과 나 같은 보통 사람들의 기념관이 세워지는 것이다. 민간 지도자들, 사랑과 봉사로 차별 없고 편견 없는 더 좋은 세상을 만드는 데 기여한 사람들이 기억되고 추모되게 된 것이다.

그 기념관에는 건물이 없다. 그저 평범한 사람들이 지나다니는 길에 지름 42인치의 동판이 새겨지고 그 동판에 주인공의 약력과 역사적 흔적이 기록된다. 기념관 이름은 "십리를 간 사람들"이고 위치는 워싱턴에서 가장 많은 사람들이 걸어다니는 백악관 연방정부 재경부 건물 사이와 백악관에서 제이슨 빌딩 사이를 합친 1마일이다.

성경에서 5리를 가자고 하면 10리를 가라고 한 데서 따온 것이다. 다시 말하면 반마일만 가도 되는데 남과 사회를 위해 자신을 희생해서 한마일을 감으로써 더 좋은 세상을 만든 민간 지도자들 70명 정도를 추모하고 기념하게 된 것이다.

2002년 2월, 첫 그룹으로 동판이 새겨진 민간 지도자는 네 분이다. 즉 세계 최대 사회복지 비영리 회사인 굿월 인더스트리 창설자 에드거 헬름 박사, 인권 운동 지도자 마르틴 루터 킹 목사, 미국 적십자사 창설자 클레이어 바튼 여사, 여권 운동 선구자 수잔 안소니 여사이다. 헬름 박사와 킹 목사는 개신교 목사였고 바튼 여사와 안소니 여사는 교사였다.

나는 나머지는 누가 선정되어 그 거리를 채우게 될 지 너무 궁금하다. 그러나 한 가지 분명한 것은 그들은 좋은 세상을 만드는 선명한 비전과 꿈을 가지고 자신을 희생해 가며 사랑과 봉사를 실천해 민간 지도자로 우뚝 선 사람들일 것이라는 것이다.

젊은이들이여, 더 좋은 세상을 만드는 꿈을 가지라! 그 꿈은 반드시 이루어진다. 당신이 가진 최선의 것을 세상에 주라. 편견 없고 차별 없는 아름다운 세상이 바로 사랑에 근거한 당신의 지도력을 필요로 하고 있다.

에드거 헬름 박사는 한 세기 전에 초기 이민자, 문맹자, 장애인 등 소외되어 직업을 찾기가 어려운 사람들을 위해 헌옷 등 중고품을 판매하는 가게를 열었다. 그것이 굿윌 인더스트리의 시작이었다.

에드거 헬름

에드거 헬름 박사는 보스턴에서 목회를 하던 1902년, 즉 한 세기 전에 초기 이민자, 문맹자, 장애인 등 소외되어 직업을 찾기가 어려운 사람들을 위해 헌옷 등 중고품을 판매하는 가게를 열었다.

그곳에서 판매할 중고품은 주로 상류층에서 기증받았다. 자선이 아니라 직업을 주어 존엄성을 갖도록 하는 데 헌옷과 중고품이 필요하다고 부자들을 설득해서 공감대를 형성한 것이다. 그리고 그 가게 이름을 "굿윌 인더스트리", 즉 "선의 사업장"이라 했다. 그 후 만 40년 동안 초지일관 그 사업에 힘쓰다 1942년 소천했다.

그가 사망한 후에도 그 사업은 지속적인 성장발전을 거듭해 2002년 6월 창립 백주년 행사를 성대히 치렀으며, 이보다 4개월 앞서 엑스트라 마일 기념관에 최초로 그의 동판이 새겨지게 된 것이다. 지난 한 세기 동안 굿윌 인더스트리를 통해 직업 관련 훈련, 취업 또는 상담을 받은 사람들이 5백만 명 정도 된다고 한다.

또한 이제는 연간 예산이 20억 달러나 되는 명실 공히 세계 최대 복지회사로 성장 발전하여, 굿윌 인더스트리 국제 본부는 2020년까지 2천만 명에게 혜택을 준다는 야심찬 계획을 발표하기도 했다. 한 젊은 목사의 사랑에 근거한 봉사 정신과 지도력이 세상을 변화시킨 것이다.

젊은이들이여, 기억하라! 당신도 에드거 헬름 박사와 같이 세상을 변화시킬 수 있다. 더 좋은 세상을 만들 수 있다.

실력과 인격과 전문성을 갖추라

얼마 전 벤쿠버 통합 한국어학교 서병길 이사장 초청으로 캐나다를 다녀왔다. "교육을 통한 성공의 비결"이란 주제로 강연을 마치고 질문 시간이 되었다. 참석자 중 한 청년이 북미주에서는 상류사회로 올라갈수록 인종 차별이 심해서 성공하기가 어렵다고 하는데 어떻게 생각하느냐고 묻는 것이었다. 그 질문에 대해 나는 정도와 종류는 달라도 인간이 사는 사회이기 때문에 편견과 차별은 있을 수 있지만, 위로 올라갈수록 인종 차별이 심하다는 것은 틀린 말이라고 했다.

미국과 캐나다에서는 차별이 불법이다. 법을 아는 사람들이 점점 많아지는데 어떻게 법을 어기며 차별할 수 있겠는가? 그것을 입증하는 통계 자료도 있다. 10년 전만 해도 아세아계 미국인으로 연방정부 차관보급 이상 고위 공직자에 오른 사람이 하나도 없었다. 그런데 부시 행정부에서는 고위 공직자 500명 중 17명이 아세아계 미국인이다. 아세아계 미국인이 전체 미국 인구의 3%인데 연방정부 최고 공직자도 3%가 되니 10년 전에 비해 획기적인 발전이라 하겠다.

이렇게 세상이 긍정적으로 변하고 있는 것은 마르틴 루터 킹 목사의 민권 운동이나 수잔 안소니 여사의 여권 운동이 있었기 때문이다. 그들로 인해 인종 차별, 성 차별 등 차별이 불법이 되는 민권법이 생겼기 때문이다. 누가 감히 인종 차별이 불법인 줄 알면서 그것을 어겨 처벌을 받겠는가? 나는 그 청년에게 민권법의 보호가 있는 한 인종 차별은 없다고 생각하고 보다 나는 미래를 향해 정진하라고 충고해 주었다.

그러나 안타깝게도 초등학교, 중학교, 고등학교까지는 한국 학생들이 세계 민족 위에 뛰어나다는 과찬을 듣고 부러움의 대상이지만, 대학에 입학한 후부터 피라미드형으로 차차 성공률이 낮아지고 있다. 이것만 보면 그 청년의 말대로 올라갈수록 성공이 어렵다는 사실을 입증하는 것 같다.

최근 보고된 연구를 보아도 2세 젊은이들 30%만이 성공적으로 주류 사회에 진입한다는 것이다. 하지만 이것은 상류사회로 올라갈수록 인종 차별이 심하기 때문이라고 일축해 버리고 체념해 버릴 문제가 아니다. 설령 인종 차별에 기인하는 경우가 있다 하더라도 각종 민권법이 있기 때문에 그것을 문제 삼을 필요가 없다. 주된 이유는 다른 데 있다. 특히 진학, 고용, 승진 등에서 한국식으로 생각하고 행동하는 데 가장 큰 문제가 있다.

"로마에서는 로마법을 따르라"는 명언이 있다. 미국에 살면 주류 사회 미국인처럼 행동하고, 그 기준에 따라 준비하고, 적응도 해야 할 것이다. 법제도 역시 다르다. 그런데 몸은 미국에 있으면서 한국 기준에 따라 진학 준비를 하고, 회사에 취직하고, 승진하려 하기 때문에 성공률이 낮은 것이다. 그래서 이 책에서는 “전체를 보는 눈으로 실력과 인격을 갖추라”라는 장을 별도로 다루어 이 부분에 대해 자세히 살펴보았다.

세계화를 주도하는 미국의 권력의 중심인 백악관 인사 기준은 크게 3가지이다. 즉 첫째 능력, 둘째 도덕성, 셋째 전문성이다. 연방정부 최고 공직자로 섬기는 지도자가 되려면 실력을 기르고 인격을 갖추고 전문성을 개발해야 할 것이다. 모든 것을 인종 차별이라 생각하고 체념하고 마는 젊은이들은 패배자의 운명을 벗어나기 어렵다. 차별이 있거든 도전해서 승리하라. 법제도와 주류 사회 가치관은 당신 편에 있다는 사실을 기억하라.

Leader, 지도자의 길

나는 맹인이 되어 인생 낙오자로 새로운 출발을 한 지 15년 만에 한국 시각 장애인 최초로 박사가 되었다. 시력도 없고 가족의 도움도 없는 상태에서 박사학위까지 받았으니 얼마나 많은 사랑의 빚을 졌겠는가? 장학금으로 지원받은 것만도 5만 달러나 된다. 그것을 지금의 화폐가치로 환산하면 훨씬 더 큰 액수가 될 것이다.

그 사랑의 빚을 조금이나마 갚기 위해 로터리 클럽에 들어가 사회봉사를 시작하게 되었다. 도미 유학 4년 동안 서부 펜실베이니아

7280지구와 국제 로터리 재단에서 받은 장학금이 가장 많기 때문이었다. 그런데 내가 주는 것보다 받는 것이 훨씬 더 많다는 것을 깨닫게 되었다.

로터리 클럽은 전세계 162개 나라에 3만에 가까운 클럽이 있고, 수십 개 클럽이 모여서 517개에 달하는 지구를 형성하고, 다시 수십 개 지구가 모여 하나의 존을 형성한다. 그러니까 회원들은 소속 클럽뿐만 아니라 각 행정 단위 특히 지구에서 사랑과 봉사로 리더십을 발휘할 기회가 많고 다양하다.

최고 행정 단위는 국제 로터리 세계본부이며 120만에 달하는 회원이 있다. 그런데 각 로터리 클럽이 소재해 있는 지역사회에서 직업이 같으면 회원이 될 수 없다. 이처럼 회원들의 직업이 모두 다르기 때문에 자신의 직업을 대표해서 특성을 살려 봉사를 한다. 클럽 회장, 지구 총재, 존을 대표하는 국제 이사, 그리고 국제 로터리 총회장을 비롯한 모든 임원들의 임기는 매년 7월 1일에서 그 이듬해 6월 30일까지 1년이다.

로터리 클럽에서는 매주 한번씩 모이는 주회에

로터리 클럽 판단 기준

- 참된 것인가?
- 관계된 사람들에게 공정한가?
- 친선과 우정에 도움이 되는가?
- 관계된 사람들에게 유익이 되는가?

서 각계 인사들이 강사로 초청되어 연설을 한다. 그러니까 주회 강사를 통해 다른 분야에 대해 많은 것을 배우게 되고 새로운 정보와 지식을 얻을 수 있는 것은 당연하다. 뿐만 아니라 대인 관계 또한 자신의 전공이나 직업 전문 분야를 넘어서 폭이 넓어지게 마련이다.

나는 국제 로터리 재단이 매년 전세계 각계 엘리트를 대상으로 선정하는 친선대사 장학생 중 하나인데다 실명의 절망과 고뇌를 숭고한 신앙과 불굴의 의지로 극복한 감동적인 스토리가 있었나. 이 두 가지가 맞물려 로터리 세계에서 나는 즉각 명사가 될 수 있었고, 회원이 된 지 일년도 안 된 1983년 6월 5일 국제 로터리 세계대회가 캐나다 토론토에서 열렸는데 그 대회에서 연설을 할 기회를 가지게 되었다.

2002년 6월 30일 국제 로터리 세계본부 회장 임기를 끝낸 리처드 킹도 그때부터 가까운 친구였다. 그때 나는 105개 나라 16,000여 명에 달하는 로터리 지도자들을 향해 고난과 역경을 극복하고 승리한 메시지를 외쳤다. 물론 거기에는 150명의 한국 로터리 지도자들도 끼어 있었다.

연설이 끝난 후 국제무대에서 국위를 선양했다고 칭찬이 대단했다. 당시 동아일보사 오재경 사장께서는 국제이사였는데, 기자를 불러 나에 관한 특집 인터뷰 기사를 쓰게 했다. 그 기사의 제목은 "장애인의 등불 강영우 박사"였다. 기자는 마지막으로 이루고 싶은 소원이나 계획이 있느냐고 물었다. 나는 인디애나 주지사 재활자문위원회 위원으로 봉사하고 있는 것을 자랑스럽게 생각하고 있었을 때라 앞으로 미국 대통령 재활정책 자문위원이 되는 것이 소원이라고 했다.

그 후 20년도 못 되어 그 놀라운 꿈이 실현되었다. 또한 그때부터 국제무대에서 연설자로 로터리 세계의 스타가 되어 그 후 국제 로터리 세계대회에서만 2번 더 연설을 하게 되는 행운을 누렸다. 맹인으로서 볼 수 있는 정안인들에게 사랑과 봉사를 실천하기 위해 로터리 클럽에 들어갔는데, 클럽과 지구에서 여러 임원직을 거치면서 리더십을 길렀을 뿐만 아니라 세계적인 명사로 도약하는 발판이 된 것이다.

오는 2005년에는 국제 로터리가 창립 백주년을 맞이하게 된다. 그것을 기념하는 사업 중 하나로 로터리 창립 백년사가 출간될 예정이다. 그런데 내가 그 책에 실려 역사 속에 흔적을 남기게 될 것이라 한다. 로터리 봉사 활동을 통한 리더십 발전의 예화로 소개된다는 것이다.

로터리 창립 백년사에 나를 추천한 분은 2000-2001년에 국제 로터리 세계 총회장을 역임한 멕시코 출신 프랭크 데블린 박사이다. 나를 미국 연방정부 고위직에 추천한 친지 중 한 분이기도 하다. "봉사 실천으로 유익을 얻은 사람이 봉사를 가장 잘한다"는 "초아의 봉사 정신"이 모토로 선정되기 전 국제 로터리의 모토였다. 그것은 사회 과학적으로 검증되고 나의 체험으로도 입증된 진리이다.

나는 작게는 수백 명 크게는 수만 명이 모이는 각종 국제대회에서 기조연설을 종종하게 된다. 클린턴 대통령 때는 백악관 만찬회에서도 연설을 했으며 코피 아난 유엔 사무총장이 참석한 유엔 본부 델리게이트룸에서 열린 만찬회에서도 연설을 한 행운아다. 그러한 연설을 할 때 내가 자주 인용하는 기도문과 지도자의 가치관을 잠깐 소개하고 싶다.

기도문은 남북전쟁 때 상이용사가 된 무명인사의 것이다.

강한 사람이 되어 많은 것을 성취하게 해달라고 간구했지만
약한 사람이 되게 하시어 교만하지 않고
겸손히 순종하는 진리를 터득하게 하셨습니다.
건강한 사람으로 더 큰일을 하게 해달라고 간구했지만
장애인이 되게 하시어 더 좋은 일을 하게 하셨습니다.
부자가 되어 행복하게 살게 해달라고 간구했지만
빈곤하게 하시어 지혜롭게 살게 하셨습니다.
권력을 가지고 남들의 칭송을 받게 해달라고 간구했지만
힘이 없는 약자가 되게 하시어 하나님의 필요를 느끼고
의지하게 하셨습니다.

인생을 즐길 수 있는 것은 모두 달라고 간구했지만

모든 것을 즐길 수 있는 생명을 주셨습니다.

내가 간구한 것은 아무것도 얻지 못했습니다.

그러나 내가 희망했던 모든 것을 얻었습니다.

나는 이 세상에서 가장 축복받은 사람입니다.

또 하나는 사회교육가이자 변호사인 켄트 키스 박사가 하버드대에 재학하던 19세 청년 때 쓴 "역설적인 지도자의 십계명"이다.

1. 세상 사람들은 비논리적이고 비합리적으로 생각한다.
   그러나 그들을 사랑하라.
2. 당신이 선을 행하면 이기주의라는 비난을 받을지도 모른다.
   그러나 그런 말에 귀 기울이지 말고 선을 행하라.
3. 당신이 성공하면 그릇된 친구와 원수도 생길지 모른다.
   그러나 성공하라.
4. 오늘 좋은 일을 해도 내일이면 허사가 될 수 있다.
   그러나 좋은 일을 하라.
5. 정직하고 솔직하면 불이익을 당할 수도 있다.
   그러나 언제나 정직하고 솔직하라.

6. 대의를 품은 이가 좀장부에 의해 넘어질 수도 있다.
   그러나 생각을 크게 하라.
7. 세상 사람들은 약자를 선호하면서도 오로지 강자만을 따른다.
   그러나 소수의 약자들을 위해 부생하라.
8. 오랫동안 공들여 쌓아 올린 탑이 하룻밤 사이에 무너질 수도 있다.
   그러나 탑을 계속 쌓아 올리라.
9. 도움이 필요한 사람들에게 도움을 주고도 공격을 받을 수 있니.
   그러나 도움을 필요로 하는 사람들에게는 도움을 주라.
10. 당신이 가진 가장 좋은 것을 세상에 주고도 이로 물려 뜯기고 발로 차일 수도 있다.
    그러나 당신이 가진 최선의 것을 세상에 주라.

이는 지도자의 사랑과 봉사로 요약될 수 있다. 이 열 가지 계명은 풀뿌리가 되는 평범한 시민들로부터 최고 지도자들에 이르기까지 만인들이 한결같이 공감한다. 뿐만 아니라 미국 소년단, 로터리 세계본부 등을 비롯하여 리더십 발전의 소중한 자료로 세계 80개국에서 사용되고 있다고 한다.

2002년 7월 14일에 있었던 일이다. 연세대 동창으로 교양학부에서 함께 수업을 받았던 뉴욕 플러싱 YWCA 이사가 주선을 해서 창립

뉴욕 총 영사로 있는
조원일 대사와 함께

24주년 기념 모금만찬회에서 연설을 하게 되었다. 일인당 백달러씩 회비를 내는 만찬회인데도 수백 명의 그 지역 지도층 인사들이 참석했으며 뉴욕 총 영사로 있는 조원일 대사 부부도 와 있었다. 그 자리에서 나는 "세상을 높이는 사람들"이란 제목으로 30분 동안 기조연설을 하면서 "역설적인 지도자의 십계명"을 인용하는 것으로 끝을 냈다. 우레와 같은 기립박수를 한참 동안 받을 정도로 참석자의 감동이 컸던 것 같았다.

특히 조원일 대사 부부께서 감동을 받으셔서 뉴욕에 오게 되면 아무 때나 총영사 공관에 와서 묵으라고 초청하시는 것이었다. 그 후 9월 19일 유엔본부에서 에콰도르 대통령이 제7회 루스벨트 국제장애인상을 수상하는 행사에 가면서 선준영 유엔대사와 함께 초청하기 위해 연락을 드렸다. 그랬더니 그날 저녁에 총영사관 직원들과 유엔 한국 대표 직원들은 모두 참석하게 될 터이니 그들을 위해서 강연을 해달라고 요청하시는 것이었다.

그 행사가 끝난 후 주말에는 장영춘 목사님이

시무하시는 뉴욕 퀸즈 한인장로교회에서 특별 집회를 인도하게 되는데 그중 하루는 총영사 공관에서 묵을 예정이다.

지도력은 길러진다. 지도력을 기르는 가장 효과적인 방법은 불행에서 낙망하고 낙오된 사람들에게 힘을 보태주는 사랑과 봉사에 참여하는 것이다. 사랑과 봉사로 지도력을 기르라! 자녀 교육에서도 성공하라. 자녀들에게 봉사와 지도력의 핵심이 되는 인간의 고귀한 가치를 가르쳐 주라. 만 12세가 되기 전에 가장 큰 교육성과가 있고, 생활 속에서 부모가 본을 보이는 것이 가장 좋은 방법이라는 것을 잊지 말라.

젊은이들이여, 리더십을 보여 주라! 그리고 자녀들에게 리더십을 길러 주라. 당신과 당신 자녀들로 인해 병든 세상이 고침받을 수 있고 주는 자가 받는 자보다 복이 있다는 진리를 믿으라.

6

전체를 보는 눈으로 실력과 인격을 갖추라

젊은이들이여, 전체적인 안목으로 인생을 보고, 세상을 보고, 미래를 보라! 그리고 그 곳에 도달할 수 있는 힘을 기르라! 지력, 심력, 체력을 길러야 한다. 요컨대 실력을 기르라는 말이다. 하지만 실력은 기본이다. 인격이 갖추어져야 세계화 시대에 성공한 지도자가 될 수 있으며 명문가도 이룰 수 있다. 이 사실을 기억하라.

6
전체를 보는 눈으로 실력과 인격을 갖추라

얼마 전 휴스턴 중앙장로교회에서 3일간 집회를 인도한 후, 그 집회에 참석했던 한국일보 기자가 쓴 기사를 접하게 되었다.

샌안토니오에서 3시간 운전해서 온 젊은 부부는 한번만 참석하고 돌아가려고 했는데, 이틀 밤을 자면서 마지막 집회까지 참석했다. 인생과 가정과 미래를 새롭게 볼 수 있게 되었기 때문이었다. 오스틴에서 2시간 운전해서 참석한 치과의사는 자비로 경비를 일체 부담할 터이니 오스틴에 와서 유학생들을 중심으로 젊은이들에게 같은 메시지를 전해 달라고 했다. 2, 3시간 운전해 온 것은 약과였다. 알칸소에서 9시간을 운전하고 와서 참석했다는 자매도 있었다. 그 자매는 새벽 5시에 일어나 출발했다고 한다. 유사한 집회를 연간 20차례 이상 인도했지만 9시간이나 차를 달려 참석했다는 분은 이번이 처음이었다.

"남은 인생을 어떻게 살 것인가? 자녀는 어떻게 양육할 것인가?" 등에 대한 해답을 얻기 위해 몇 시간씩 운전해 오는 젊은이들을 보면서 새로운 사명을 느끼지 않을 수 없었다.

그런데 백악관 산하 국가장애위원회가 LA에서 그 주일 오후 3시부터 3일간 열리게 되어 부득이 오전 1부 예배만 인도하고 나머지는 취소하고 떠나야만 했다. 수백 교회에서 지난 18년 동안 집회를 인도해 왔지만 취소해 보기는 이번이 처음이었다. 지난해 태국 국왕이 UN에서 루스벨트 국제 장애인상을 수상할 때 서울에 있는 제자교회에서의 집회 일정과 겹쳤었다. 그때는 교회 집회를 택했었다. 그러나 이번에는 그럴 수가 없었다.

남은 인생은 얼마 안 되는데 못 다한 일이 너무 많다는 생각이 들었다. 지식과 경험은 나눌수록 커지는 법이다. 하나님이 부르시는 그 순간까지 내가 가지고 있는 지식과 경험을 더 많은 젊은이들에게 나누어 주어 눈덩이처럼 불려가겠다는 새로운 각오를 해보았다.

"학문 전체의 구조를 보라! 학문하는 방법을 배우라! 발견학습으로 지적 흥분을 느껴라!"

이 말은 인지 심리학의 아버지라 불리는 지롬 브루너 교수가 하버드대에 재직할 때 한 것이다.

학문을 할 때 전체 구조가 파악이 안 되면 분명한 목적과 방향이 서지 않는다. 인생도 마찬가지이다. 숲 밖에 서서 숲 전체를 볼 수 있어야 한다. 인생의 마지막을 보고 오늘을 살라. 그러면 오늘 나아갈 길이 분명히 보일 것이다.

또한 학문하는 방법을 배워야 하듯이 인생을 바르게 사는 방법도 배워야 한다. 자녀들에게도 전체를 보는 안목으로 인생과 미래를 보도록 교육하고 남은 생을 어떻게 살 것인가를 분명히 가르쳐 주어야 할 사명과 책임이 있다.

뿐만 아니라 일상생활에서 인생을 살아가는 지혜와 교훈을 발견할 때마다 지적 흥분을 느낄 수 있어야 지속적인 학습이 이루어진다.

"보는 것을 얻을 것이다."(To See is To Get)라는 영어 표현이 있다. 성취할 것을 육안이 아닌 두뇌의 비전으로 먼저 보아야 한다는 말이다.

전체를 한눈에 보는 안목도 학습되는 것이다. 헬렌 켈러에게 어떤 사람이 듣지 못하는 농인과 보지 못하는 맹인 중 누가 더 불쌍하냐고 물었다. 그러자 이렇게 대답했다고 한다.

"세상에서 가장 불쌍한 사람은 육안을 가지고도 비전을 보지 못하는 사람이에요."

헬렌 켈러는 보지도, 듣지도 못했을 뿐 아니라 말도 제대로 못했지만, 전체를 보는 눈으로 인생과 미래를 볼 수 있었던 것이다. 이는 교육을 통해 비전을 제시하는 지도자로 길러졌기 때문이다.

오늘날 친지들이 나를 추천하고 소개할 때 비전을 품고 있으며 그 비전을 이루는 방법을 아는 지도자라고 한다.

나는 적어도 15년 내지 30년의 미래를 내다보는 비전을 품고 살아왔다. 자녀들이 어렸을 때부터 행복한 가정을 꾸미고 명문가를 이루는 비전을 세우지 않았다면, 오늘날의 우리 가정은 없었을 것이다. 명문가는 만들 수 있다. 그러나 명문가에 태어나 그 대를 이어가는 것과는 달리 머나먼 미래에나 이룰 수 있다. 당대에 이루어질 가능성보다는 아들이나 손자대에 이루어질 가능성이 더 많은 것이다. 그러나 그렇게 먼 미래를 내다볼 수 있어야 한다.

에이브러햄 링컨

에이브러햄 링컨은 당대에 명문가를 이루었다. 그에게는 인생과 세계와 미래를 멀리 그리고 전체적으로 내다보는 비전이 있었기 때문이다. 나는 그가 그러한 비전을 기르기 위해 무엇을 어떻게 했는지, 또 자녀 교육은 어떻게 했는지에 주의를 기울였다.

링컨은 노예를 해방시켜서 평등하고 자유로운 세상을 만들겠다는 비전을 가지고 필요한 실력을 닦았다. 비록 형식적인 교육은 1년밖에 못 받았지만 독학으로 실력을 닦아 변호사가 되었다.

2001년 5월 진영이는 듀크대 법학전문대학원을 졸업하고 두 달 후인 7월에 일리노이주 변호사 면허시험을 치렀다. 10월에 합격자 통지서를 받고, 11월에 변호사 선서식이 있었다. 진석이는 병원 일이 바빠서 함께하지 못했지만 아내와 나는 선서식에 참석하여 진영이가 변호사가 되는 모습을 지켜보았다.

일리노이주 대법원장 앞에서 선서식이 끝난 후 법조계 지도자들의 축사가 이어졌다. 일리노이 변호사협회 회장 차례가 되었다. 그는 새로 임명된 변호사들에 대한 간단한 환영 인사에 이어 이러한 말을 했다.

> "일리노이 변호사협회는 에이브러햄 링컨이 창립했습니다. 그러므로 여러분은 이제 링컨의 동료가 된 것입니다. 긍지와 책임을 느끼십시오. 무엇보다도 링컨은 젊은 변호사들의 인격과 이미지 향상에 관심을 쏟았습니다. 변호사를 풍자하는 농담이 많은데 특히 거짓말을 잘하는 것과 관련된 농담이 많습니다. 그것은 변호사들이 피땀 흘리는 노동을 하지 않고 부자로 잘사는 이들이 많은 데서 비롯된 것입니다. 그러니 변호사는 절대로 거짓말을 하지 말아야 합니다. 링컨은 정직한 인격자가 될 수 없으면 변호사직을 떠나라고 했습니다."

“정직과 지식은 나의 보배요 재산이다. ……거짓된 마음은 드러나게 마련이다. 속이고, 감추고, 숨기려 해도 결국 썩은 냄새를 풍긴다.”

–에이브러햄 링컨

아내와 진영이와 함께 행사장을 떠날 때 나도 모르게 눈시울이 뜨거워지는 것을 느꼈다. 사반세기 전 진영이가 태어났을 때 박사 학위는 받았지만 취직이 안 돼서 실의와 좌절 속에서도 인내하며 기다리면 반드시 문을 열어 주실 것이라 믿고 기도하던 때가 생각났기 때문이다. 그후 25년의 세월이 흘러 그 갓난아기가 법학박사 변호사가 되다니! 그것도 링컨과 동료 변호사가 되었다니! 참으로 감개무량했다.

링컨은 인격과 정직을 동일시할 정도로 정직을 강조했다는 말이 머릿속에서 떠나지 않았다. 아무리 실력 있는 변호사라 할지라도 정직한 인격을 갖추지 못했으면 변호사협회를 탈퇴하고 변호사직을 떠나라고 했다니 정말 대단하지 않은가?

젊은이들이여, 전체적인 안목으로 인생을 보고, 세상을 보고, 미래를 보라! 그리고 그 곳에 도달할 수 있는 힘을 기르라! 지력, 심력, 체력을 길러야 한다. 요컨대 실력을 기르라는 말이다. 하지만 실력은 기본이다. 인격이 갖추어져야 세계화 시대에 성공한 지도자가 될 수 있으며 명문가도 이룰 수 있다.

링컨이 농사일을 하면서 소년 시절을 보낸 마을은 국립공원과 인디애나 주립공원이 마주보고 있어 관광객들이 드나들 뿐 인구 천명도 안 되는 시골이다. 그런 시골에서 링컨의 아버지는 농사나 짓지 공부는 해서 무엇을 하느냐고 했다. 그러한 환경에서 장차 변호사가 되어 자유와 평등과 사회정의를 실현하겠다는 꿈을 가지고 독학을 했으니 얼마나 어렵고 험한 길이었는지 짐작을 하고도 남는다. 게다가 장래를 약속했던 첫사랑의 애인도 백혈병으로 세상을 떠나 이사를 간 곳이 법조인으로, 정치인으로 야망을 이룬 일리노이주 스프링필드이다. 피나는 노력으로 실력을 길러 자수성가한 것이다.

그러한 환경 탓이었는지 자녀 교육에 대한 관심은 남다른 데가 있었다. 특히 장남 로버트 타드의 교육에 특별한 관심을 보였다. 일리노이주 스프링필드에서 변호사와 주의원으로 활동하면서는 로버트를 찰스 왕자와 다이애나의 장남 윌리엄이 다닌 영국의 명문 이튼에 유학 보냈다. 그 학교는 귀족 중에서도 실력이 대단해야 입학이 가능한 학교이다. 65점이 합격선인데 윌리엄은 65.5점을 받아서 합격했지만 아우인 해리는 못 들어갔다고 한다.

이튼에 들어갈 정도의 실력이 되었으니 로버트는 머리가 좋았던 것 같다. 그러나 1년 3학기 동안 모두 17과목을 공부했는데 전과목 낙제를 하여 집으로 돌아오게 되었다. 부친은 선명한 인생의 비전이 있었고, 집중력, 시간관리 능력 등 심력이 길러져 독학만으로도 자수성가할 수 있었지만, 이튼에 입학할 정도의 머리를 가지고도 심력이 약하면 이처럼 전과목 낙제를 할 수도 있는 것이다.

링컨은 아주 자상한 아버지였다. 자녀 교육에 관심도 많았는데 특히 장남인 로버트 타드의 교육에 심혈을 기울였다.

아버지로서 실망이 컸겠지만 링컨은 그 정도 실패로 자녀 교육을 포기하지는 않았다. 집 근처 학교에서 인생과 미래에 대한 새로운 태도와 가치관 교육을 실시한 후, 준비가 되었다고 믿고 필립스 아카데미 양교 중 엑서터로 로버트를 보냈던 것이다. 집에서 멀리 떠나 공부하는 외로움과 고독을 달래주기 위해 동네 친구와 함께 가도록 배려도 해주었다.

▼ 함께 책을 읽는 링컨 부자

그리하여 링컨은 자녀 교육에도 성공하여 당대에 이룬 명문가의 전통을 이어갈 수 있었다. 로버트 타드는 엑서터에서 공부를 잘해 두각을 나타냈다. 링컨이 제16대 미국 대통령으로 당선된 1860년에도 엑서터에 재학 중이었는데, 링컨이 뉴햄프셔주에서 선거 운동을 하면서 학교를 방문한 것이 역사에 남기도 했다. 링컨은 아들의 친구도 무척 사랑해서 백악관에 초청하기도 했다.

로버트 타드는 하버드대에 진학하여 아버지의 뒤를 이어 변호사가 되었다. 그후 일리노이로 돌아와 시카고에서 왕성한 사회 활동을 한 것으로 기록되어 있다. 친구는 예일대로 진학했으나 애석하게도 도중 하차한 것으로 되어 있다. 하지만 그 뒤에 어떻게 되었는지 알려져 있지 않을 뿐이지 인생을 실패한 것으로 간주해서는 안 될 것이다.

딕 체이니 부통령은 예일대를 중퇴하고 고향으로 돌아가 별 볼일 없는 와이오밍대를 나왔지만 그 지역 하원의원으로 당선되어 정치인으로 거듭났다.

역사가들은 링컨을 미국 역사상 가장 위대한 대통령으로 평가하고 있다. 뿐만 아니라 타임지가 선정한 19세기 인물 중 토머스 에디슨에 이어 차점자이다. 토머스 에디슨은 발명왕으로서 물질문명에 더 큰 영향을 미쳐서 19세기 인물로 선정되었지만, 차점자인 링컨은 영원히 불멸하는 인간 정신문화에 가장 큰 영향을 미쳤다.

로버트 타드는 실력을 양성하는 과정에서 진석이와 유사점이 많다. 그것은 우연이 아니다. 내가 과거에 링컨을 자녀 교육의 역할 모델로 삼았던 것이다. 로버트 타드도, 진석이도 어린 시절 부모에 의해 두뇌가 명석한 것으로 인지되었다. 그러나 둘 다 한때 부모의 기대에 미치지 못하는 낙오자의 길을 걸었다. 하지만 끝내 둘 다 필립스 엑서터 아카데미를 거쳐 하버드대를 졸업했다.

로버트 타드가 영국 유학을 가서 실패자로 돌아오지 않았더라면 아마 진석이 교육에 별 도움이 되지 않았을 것이다. 그런데 한 번 실패했기 때문에 진석이도 포기하지 않고 지탱할 수 있었으며 분명한 목표를 향해 확신을 가지고 나갈 수 있었다.

…에도 불구하고

시각 장애로 인한 보편적인 문제는 독서와 보행과 일상생활일 것이다. 이 세 가지 문제를 효율적으로 해결하느냐 못하느냐에 따라 시각장애인으로 성공적인 인생을 사느냐 못사느냐가 결정된다고 해도 과언이 아니다. 불빛도 못 보는 맹인으로 40년을 살아온 나도 예외는 아니다. 다만 나는 거의 한평생을 그림자처럼 따라다니며 내조하는 반려자가 있어 훨씬 쉽게 살아왔다고 할 수 있을 것이다.

그렇다고 아내가 나를 대신해서 문제를 해결해 줄 수 있는 것은 아니다. 방대한 양의 독서를 할 때도 그 일부를 읽어줄 뿐이고, 세계 도처를 여행할 때도 종종 동행해서 안내해 줄 뿐이며, 집안에서도 시력이 필요할 때 잠깐잠깐 도와주는 것뿐이다. 궁극적으로는 나 홀로 독립적으로 그러한 문제를 해결할 수 있어야 하는 것이다.

유학 시절에 겪었던 일이다. 점역 봉사원들이 만들어 주는 점자 책들은 산더미처럼 쌓이는데 영어 독해력이 짧은데다가 촉독은 시독에 비해 공간 지각이 훨씬 좁은 단점이 있어 아무리 밤잠을 못자고 읽고 또 읽어도 다 읽을 방법이 없었다.

당시 나는 잠자는 아내와 진석이를 방해하지 않으려고 불을 끄고 누워 책을 배 위에 올려놓고 공부를 했는데 불가항력이었다. 먹고, 화장실 가고, 잠자는 시간 외에는 하루 24시간 중 16시간 정도 계속 공부를 하고 독립적으로 보행하기 위해 보행훈련까지 받다 보니 너무 피곤해서 얼마 가지 않아 잠이 들어 버리는 것이었다. 녹음 도서로 청독을 하는 경우 속도는 촉독보다 훨씬 빠른 장점이 있지만 어떤 어휘나 문장이 이해가 안 될 때는 앞뒤 문맥으로 적당히 이해하는 수밖에 없다는 단점이 있었다.

이러한 독서 문제를 해결할 때도 링컨을 생각하면서 다시 재기할 힘과 용기를 얻었다. 링컨은 수업도 안 받고 독학으로 변호사 고시에 합격했는데 나는 정상적인 학교에서 정상적인 방법으로 수업을 받아 실력을 쌓아왔고 지금도 대학원에서 강의를 들으며 공부하고 있지 않는가라고 생각했던 것이다.

형식적인 교육은 일년밖에 못 받고도 변호사로, 대통령으로 필요한 실력을 길렀다면, 아무리 촉독과 청독으로 독서를 하는 어려움이 있

"나의 성공의 비결은 누구보다 실패를 많이 한 데 있다."

–에이브러햄 링컨

어도 학문의 기초를 제대로 닦아온 내가 더 유리한 고지에 있는 것이 아닌가 생각한 것이었다.

그렇다. 미국 역사상 가장 위대한 업적을 남긴 대통령으로서가 아니라 그의 가장 약한 인간적인 측면이 나에게 위로가 되고 힘이 되었던 것이다.

또한 유학 기간 중 지팡이를 사용해 독립적으로 통학했다. 아내는 진석이를 키우고 가사를 돌보아야 했기 때문에 항상 나를 안내할 수는 없었던 것이다. 버스도 혼자 타고 다녔다. 30분 간격으로 버스가 왔는데 기다리다 내가 탈 버스가 지나가는 것을 몰라 버스를 놓치면 1시간을 더 기다리느라 시간을 낭비해야 하는 때도 있었다.

그러한 실명의 고통과 불편에도 불구하고 나는 수백 명의 대학원생들 중에서 박사학위를 가장 먼저 받았다. 함께 공부를 시작한 동기 중 3년 8개월 만에 박사학위를 취득한 사람은 영어와 실명의 이중 장애를 가진 나뿐이었다. 뿐만 아니라 나는 그 기간 중에 특수교육전공 교육학 석사학위와 재활상담심리학 전공 심리학 석사학위도 취득하고, 교생 실습과 카운슬러 실습도 해서 교사 자격증과 카운슬러 자격증도 취득했다. 즉 나무를 보지 않고 숲 전체를 보는 시각으로 설정한 인생의 장기적이고 분명한 목적을 향해 실력을 쌓아올렸던 것이다.

그런데 일단 박사학위를 받고 세상에 나와 보니, 객관적으로 나보다 실력이 없는 사람들이 성공도 하고 나보다 앞서가는 것 같아 마음 상할 때도 있었다. 그럴 때면 이민자들이 인종 차별 때문에 승진도 성공도 못한다고 불평하듯이 나도 장애인에 대한 편견과 차별 때문에 불공평한 대우를 받는다고 생각했다.

인간이 사는 사회라 다른 인종이나 장애인들이 진학, 고용, 승진 등에 있어서 종종 차별을 받는 것이 사실이다. 나는 대학 진학, 도미 유학, 박사학위 취득 등의 과정에서 눈에 보이는 공공연한 차별을 경험한 사람이기 때문에 누구보다 더 잘 알고 있다. 하지만 적어도 선진국에서는 차별이 불법화되어 있다. 양성적으로는 차별대우를 할 수 없는 것이다. 그럼에도 불구하고 실력만으로는 충분하지 않다. 다른 평가 기준들이 있다는 말이다.

인격은 길러진다

2001년 어느 봄날, 백악관 클레이 존슨 인사국장으로부터 한 장의 편지가 왔다.

"……대통령과 국가를 위해 헌신하고 봉사하려는 귀하의 충정에 뜨거운 감사를 드립니다. 백악관 인사국에 제출된 이력서와 지원서만 3만 장이 훨씬 넘습니다. 그들 대부분은 실력을 갖추었을 뿐 아니라 부시 대통령과 국가에 대한 충성심과 봉사심으로 무장되어 있는 분들입니다. 그 중에서도 가장 능력 있고 가장 높은 도덕성과 가장 높은 전문성을 갖춘 분들을 공정하게 선정할 것입니다. 인내를 가지고 절차를 지켜봐주시면 고맙겠습니다……."

연방정부 고위 공직자를 선정함에 있어 실력은 기본이고 다른 기준들, 즉 도덕성과 전문성을 중점적으로 보겠다는 말이다.

2002년 김대중 대통령께서 국회에 인준을 요청했던 국무총리 지명자 두 분을 생각해 보라. 청문회에서 국정 수행 능력도 전혀 논란이 되지 않았던 것은 아니지만, 무엇보다 위장전입, 부동산 투기 등과 관련된 도덕성 논란으로 인준이 부결되었다고 들었다. 부도나 IMF가 터졌을 때 개탄했던 사회 지도자가 그 정도라면 누구를 모델로 차세대 일꾼들이 인격을 형성할 것인가 하는 생각이 들기도 했다.

미래를 설계하는 젊은이들이여, 높은 윤리적 기준으로 도덕성과 인격을 형성하라.

인격도 교육을 통해 형성되고 길러진다. 교육이란 "가르치고 기른다"는 말이다. 전통적으로 지, 덕, 체 3가지를 기르는 것으로 되어 있다. 그래서 인격을 기른다는 말은 덕을 기른다는 말과 동의어로 쓰이기도 한다.

그러면 인격을 형성하는 덕목은 무엇들인가? 인격을 이루는 덕목은 태도와 가치관 교육에서 구체적으로 다루어지고 있다. 가치 교육의 선구자인 윌리엄 베네트 전 미국 교육부장관은 정직, 사랑, 용기, 충성, 신앙 등을 가치 교육 또는 인격 교육의 중요한 덕목으로 꼽았다. 여러 가지 덕목 중에서도 특히 정직과 사랑이 으뜸이다.

조지 미첼

클린턴 대통령 당시 연방 상원에서 최고 실력자는 조지 미첼 민주당 원내총무였다. 나는 그가 오늘날 최고 지도사가 된 것은 어머니의 인격 교육 덕분이라고 말하는 것을 직접 들었다. 그는 진영이가 상원에 처음 취직할 때도 소개와 추천을 해주고 아들들 결혼식에도 애정 어린 축하 메시지를 보낸 가까운 친지 중 한분이다.

그의 아버지는 청소원이었고 어머니는 영어를 읽고 쓸 줄도 모르는 분이었다. 그렇게 가난한 가정에서 태어났지만 열심히 공부해서 장학금으로 사학의 명문 조지타운대 법학전문대학원에서 법학박사

학위를 받았다. 이렇듯 지식을 길러 실력을 양성하는 데는 부모가 별로 기여하지 못했다. 하지만 미국에서 두 번째로 높은 권력의 자리에 오르는 지도자가 될 수 있었던 것은 배우지 못한 어머니의 가정교육의 힘이 컸다.

"정직하게 살아라. 거짓말하지 말아라. 불쌍한 이웃을 도와주어라. 절대 배신하지 말아라." 등 귀가 따갑도록 가르쳐 주신 덕목은 최고 공직자로 봉사하는 데 있어 밑거름이 되었다.

그러나 검사로, 판사로, 주 검찰총장으로, 연방 상원으로 공직자 생활만 하다 보니 재산 없이 노년기에 접어들게 되어 정계에서 조기 은퇴하고 변호사로 돈을 벌어 가족을 보살피고 노후를 편안히 살고 싶다고 했다.

민주당 상원 원내총무로 한창 명성을 날리던 56세에 은퇴를 선언하고 변호사 일을 시작하면서 남긴 말이다. 공직 생활만 하고서도 부자가 되는 일부 지도자들과는 너무나 대조적이다.

제럴드 포드

제럴드 포드 제38대 대통령은 선임자인 닉슨 대통령에 의해 지명을 받아 의회 표결로 대통령이 되었다. 닉슨이 워터게이트 사건으로 사임한 당시 에그뉴 부통령은 범법자로 판결을 받아 승계하지 못하고 포느 공화당 하원 원내총무가 지명을 받게 된 것이었다.

포드가 지명을 받게 된 것은 닉슨 행정부의 도덕성이 문제가 되었을 때 높은 윤리 기준을 가진 도덕성이 강한 지도자로 평판이 높았기 때문이었다. 동료 하원의원들도 정직한 인격자로 존경하고 있어 쉽게 의회 표결로 동의를 얻을 수 있었다. 그런데 포드의 정직한 인격도 가정교육으로 길러진 것이라 한다.

포드 대통령의 원래 성은 킹이었다. 포드가 태어나 병원에 있을 때 남편이 술을 먹고 칼을 들고 와서 모두 죽인다고 난동을 부리는 통에 그 곳에서 모자가 탈출, 이혼하게 되었다. 그리고 2살 때 어머니가 재혼하면서 계부가 입양했다. 동생들이 태어났지만 계부가 차별 없이 키워서 입양된 것도 몰랐다고 한다. 그러다 고등학교 때 축구선수로 이름을 날리면서 친아버지가 찾아와 모든 사실을 알게 되었지만, 이미 주관이 뚜렷해서 친아버지를 따라가지도 이름을 바꾸지도 않았다.

그의 어머니는 이런 환경 때문에 버릇없는 아이라는 소리를 듣지 않게 하기 위해 철저한 인격 교육을 했다. 특히 정직, 충성, 용기, 애국심을 강조했다. 그러한 교육의 영향을 받아 미시간대를 졸업하고 예일 법학전문대학원을 나와 지역 사회와 국가를 위해 정계에 진출, 국회의원으로 평생을 보내게 된 것이다.

미국에서는 변호사가 되어 정계와 관계에 진출하는 것은 재물을 선택하지 않고 봉사를 선택하는 것으로 인식된다. 개업을 하면 큰 돈을 벌 수 있지만, 공직자가 되면 이에 비해 봉급이 너무 적기 때문이다. 진영이도 상원 고문 변호사로 존경받으면서 보람과 긍지를 느끼지만 봉급은 법률 회사에서 변호사로 일하는 아내의 절반도 채 못 된다.

포드는 하원의원으로 평생을 보내고 대통령으로서 닉슨 대통령 잔여 임기를 채웠으니 공직 생활에서 은퇴했을 때는 충분한 재산이 없었다. 그래서 전직 대통령으로는 최초로 강의를 하고 강사료를 받는 선례를 남겨 비난을 받기도 했다. 그러나 그는 나의 시간과 봉사에 대한 대가로 받는 것이니 양심에 비추어 아무런 거리낌이 없다고 했는데, 이것은 이후 전직 대통령의 관행으로 정착되었다.

최근 5명의 미국 대통령 가운데 2명이 입양 가정 출신이다. 빌 클린턴 42대 대통령 역시 입양 가정에서 자랐다. 생부가 사고로 세상을 떠나 유복자로 태어났는데, 어머니가 재혼한 후 태어난 동생과 성이 다른 것이 싫어서 계부의 성인 클린턴을 선택하였다 한다. 계부는 거의 매일 술을 마시고 어머니를 때렸는데 14세 때 그런 계부를 가로막으며 말렸다는 일화는 유명하다. 클린턴 대통령은 그러한 환경에서 부모의 의도적인 인격 교육 없이 제멋대로 성장한 것이다.

젊은 부모들이여, 똑같이 어머니가 재혼해서 입양된 이 두 전직 대통령의 인격과 도덕성을 비교해 보라. 둘 다 예일 법학전문대학원 출신 변호사들이다. 그런데 현재 클린턴은 알칸소주 변호사 면허를 법적으로 5년 동안 정지당한 상태이다.

인격은 길러지는 것이다. 특히 12세 이전에 이루어지는 가정교육이 가장 큰 성과를 볼 수 있다.

자녀의 인격 교육 또는 가치 교육과 관련해서 체벌에 대해 잠깐 언급하고 지나가려고 한다. 도덕성 발달 이론과 실제에 의하면 만 7세까지는 체벌이 100% 성과를 거둘 수 있고, 12세까지는 감소하기는 하지만 역시 교육적 성과를 기대할 수 있다. 그러나 만 12세가 지나면 아무리 사랑의 매라 할지라도 체벌은 역효과를 가져오게 된다고 한다.

정직한 청소부

역시 인격 교육에서 떼어놓을 수 없는 것은 정직이다. 십계명에도 포함되어 있고, 지도자의 역설적인 십계명에도 들어 있으며, 미국인들의 도구적 가치관 중에서도 첫 번째로 꼽히고 있다. 정직하게 살면 불이익을 당할 때도 가끔 있는 것은 사실이다. 그렇지만 부정직함으로 일시적으로 잘살 수 있을지는 몰라도 지도자로서 시대적 사명을 감당할 수는 없을 것이다.

제브 부시 플로리다 주지사는 인격의 프로필이라는 책을 저술했다. 평범한 사람들로서 각종 유혹과 어려움을 이기고 인격자들이 된 현대 영웅들을 소개하고 있는데, 거기에는 정직한 청소부 할아버지 이야기가 나온다.

할아버지가 하루는 건물을 청소하다 현금 뭉치를 주웠다. 현금이 얼마나 많았는지 5백 달러쯤 빼고 신고를 해도 표가 나지 않을 것 같았다. 순간 그 돈으로 손자에게 크리스마스 선물을 사다 주면 좋겠다는 유혹이 생겼다. 하지만 바로 이런 생각이 들었다. '가만, 손자가 어디에서 돈이 나 이 좋은 선물을 사왔느냐고 물으면 뭐라고 하지?' 생각이 이쯤 되자 할아버지는 마음을 굳혔다. '아니다. 5백 달러로 값비싼 선물을 사주기보다는 그런 상황에서도 할아버지는 정직했으니 너도 그렇게 정직하게 살라고 얘기해 주어야지.' 그리고 현금을 전부 신고했다. 현금을 돌려받은 주인은 너무 고마워하며 천 달러를 사례금으로 할아버지에게 주었다.

그 청소부 할아버지는 정직의 대가로 5백 달러가 아닌 천달러를 얻었으며 현대의 영웅으로 부시 지사에 의해 세상에 알려진 것이다.

정직하게 살아서 당장 손해를 보는 경우도 더러는 있을 수 있다. 그러나 미래의 영광이나 자신만이 느낄 수 있는 보람과 긍지에 비하면 아무것도 아니다. 실력과 인격을 갖춘, 이 시대가 필요로 하는 지도자가 되라. 그리고 철저한 인격 교육으로 자녀들 또한 정직하고 성실한 인격을 갖춘 차세대 지도자로 양육하라.

"인물이 되려면 인물을 만나야 한다."

의도적인 만남

교육 현장에서 자주 쓰는 말로 "인물이 되려면 인물을 만나야 한다."는 말이 있다. 또 유유상종이란 말도 있다. 이 두 가지 말을 연결하여 생각해 보라. 끼리끼리 보이게 마련이니까 실력과 인격을 갖추면 그러한 인물을 만날 수 있다. 한걸음 더 나아가 적극적으로 동일한 가치를 추구하는 인물들을 의도적으로 만나야 한다. 다시 말해서 지도자가 되려면 참된 지도자들이 많이 있는 집단에 들어가고, 신분 상승을 꿈꾸고 있으면 실력과 인격을 갖추어 상류사회에 들어가야 한다.

만남은 크게 우연한 만남과 의도적인 만남으로 분류될 수 있다.

사람은 누구나 이 세상에 태어난 순간부터 부모, 형제자매, 일가친척들을 만나게 된다. 본인의 의도와는 아무런 상관없이 혈연에 의해 우연한 만남이 성립되는 것이다. 지연 또는 학연에 의한 만남도 대부분 우연한 만남이다. 그런데 목적이나 가치관이 같아서 의도적인 만남이 이루어질 수 있다. 예를 들면 교회나 성당이라는 신앙 공동체내에서 같은 신앙을 매개체로 이루어지는 만남은 의도적인 만남이다.

우연한 만남이든 의도적인 만남이든 만남은 중요하다. 누구를 만나느냐에 따라 인생이 달라질 수 있기 때문이다. 그런데 우연한 만남은 혈연, 지연, 학연에 따라 결정되기 때문에 그 가능성이 매우 제한되어 있는 데 반해, 의도적인 만남은 가능성이 무한하다. 특히 세계화, 국제화, 정보화 시대인 현대를 살아가는 우리들에게는 전통적인 사회와는 달리 더욱 그러하다. 의도적인 만남은 성경을 포함한 위대한 서적이나 미디어를 통해서도 가능하다.

데이비드 블렁킷

영국의 토니 블레어 내각의 데이비드 블렁킷 내무장관은 맹인이다. 그가 맹인이라는 사실은 나도 다른 사람들과 같이 미디어를 통해 알게 되었다. 그러나 나에게는 특별한 의미가 있었다. 실명이란 공통점 때문이었다. 그래서 나는 적극적으로 의도적인 만남을 주선하고 정부 초청으로 미국에 오도록 했다. 선천적 맹인으로서 한 국가의 국회의원으로 선출되고 교육부와 노동부 장관을 거쳐 내무장관까지 될 수 있었던 경험과 과정은 장애인 정책 개발에 도움이 될 것이다. 일반적으로 생각할 때 내무장관직은 맹인으로서 어려움이 많을 것 같은데 그는 그

직무를 너무 잘 수행하고 각종 문제에 대해 명쾌한 답을 주어 차기 총리감으로 유력시되며 인기가 대단하다.

젊은이들이여, 무한한 가능성을 가진 의도적인 만남에 의해 대인 관계의 범위를 넓히라. 고전이나 위인전에서 본보기가 될 만한 인물들을 많이 만나라. 그리고 동일한 목적과 가치를 추구하는 집단에 들어가라. 성공의 기준 중 하나를 충족시켜 줄 것이다.

데이비드 블렁킷은 선천적 맹인으로서 국회의원으로 선출되고 교육부와 노동부 장관을 거쳐 내무 장관까지 되었다.

인맥을 형성하라

백악관 클레이 존슨 인사국장의 3가지 인사 기준을 회상해 보라. 첫째는 실력, 둘째는 인격과 도덕성, 셋째는 최고의 전문성이다. 전문성은 전문 분야의 지식이나 경험이 있는 친구, 동료, 전현직 상사 등 의도적인 만남에 의한 친지들의 추천이나 면접으로 평가될 수 있다. 다시 말하면 일반적인 능력이 아니라 전문 분야에서 인맥을 형성하라는 말이다. 실력과 인격을 갖춘 후 그것을 인정하고 이끌어 주고 추천해 줄 수 있는 인적 자원이 필요하다는 말이다.

Ten Strikes

금년 초 KBS 수요기획 다큐멘터리를 제작하러 워싱턴으로 취재팀이 방문했을 때였다. 담당 PD가 나를 위해 마련된 세계장애위원회 축하 만찬회에 참석한 딕 손버그 전 법무장관에게 "강영우 박사가 부시 대통령 임명을 받게 된 주된 이유가 무엇이라고 생각하십니까?"라고 물었다. 그에 대한 대답은 간결했지만 명확했다.

"미국 정치 사회에서 흔히 사용하는 표현을 빌린다면 'Ten Strikes' 즉 모든 것이 맞아 떨어진 것입니다. 강 박사는 능력과 충분한 경험이 있고, 그의 실력과 성실성을 대통령께 보고할 친구들을 가졌기 때문에 부시 대통령에게 인정받은 것입니다."

나중에 "Ten Strikes"라는 영어 표현을 사전에서 찾아보고 백악관 인사 기준과 관련 봉직에서 비롯된 그 원래 의미를 다시 한번 되새겨 보았다.

"인맥"이란 말은 거부감을 일으키는 부정적인 의미를 내포하는 때가 가끔 있다. 그것은 권력을 가진 강자와 연결만 되면 실력이나 인격은 갖추지 않아도 인사 혜택을 보는 잘못된 관행에서 비롯되었다. 하지만 전문 분야에서 능력과 성실성을 인정하고 소개하고 추천할 수 있는 인맥은 필요하다. 아무리 실력 있고 도덕성이 높아도 그것을 활용할 수 있는 사람과 연결이 안 되면 무슨 쓸모가 있겠는가?

당신의 전문적인 성실성과 능력을 인정하고 대변하고 추천할 수 있는 인맥을 형성하라. 세계화를 주도하는 서양 문화에서는 지위가 높은 사람들의 추천서가 아니라 당신의 능력, 도덕성, 전문성을 가장 잘 아는 이들의 추천이 필요하다.

나는 시골에서 태어나 초등학교를 졸업하고 고향을 떠났다. 그래서 지연에 의한 친구가 많지 않다. 실명한 후에는 서울맹학교에서 중고등학교 교육을 받았다. 그래서 학연에 의한 친구도 상대적으로 적은 편이다. 그러나 나는 세계 도처에 의도적으로 만든 친구들이 누구 못지않게 많다. 나를 잘 아시는 카터 행정부에서 유엔 대사를 역임한 윌리엄 벤덴휘벨 루스벨트 재단 이사장은 "강 박사는 각계각층 지도자들과 아주 잘 연결돼 있는 분입니다."라고 했을 정도이다.

누가 뭐라고 해도 성공하라! 그러나 이것을 명심하라. 실력, 인격, 전문성은 기본이다. 세계화 시대에는 나를 인정하고 추천하고 이끌어 줄 인맥이 필요하다. 거시적인 비전을 품고 현재 위치에서 성실히 행한다면 멋진 인맥이 이루어질 것이다.

미 연방 최고 공직자 임명 절차

이 기회에 백악관 대통령 임명 절차를 소개해 보기로 하겠다. 미국 대통령 임기는 4년이며 재선까지 할 수 있다. 대통령 선거는 11월 첫째 화요일에 실시되며 이듬해 1월 20일에 취임식을 하게 된다. 그러니까 선거에서 취임식까지는 3개월도 채 안되는 셈이다. 그 기간 중 각 부처 장관과 일부 고위 공직자들 임명 절차가 끝난다. 그러나 대부분 최고 공직자들은 대통령 취임 이후 6개월에서 1년 사이에 이루어지고, 임기제로 되어 있는 공직은 대통령 임기 중 수시로 임명된다.

대통령 임명에서 상원 인준까지는 네 단계 절차가 있다. 선택 단계, 내정자 단계, 배경 조사 단계, 상원 인준 단계이다. 네 단계를 모두 거치는 기간은 약간씩 다르지만 평균 6개월로 되어 있다.

선택 단계에서는 백악관 인사 위원회에서 접수된 이력서와 추천서들을 분석하고 관계 부처 자문을 받아 후보자들의 능력과 자질을 평가한다. 그러므로 스크린이 되려면 후보자의 능력과 경험은 물론 인격과 도덕성까지도 잘 아는 이들의 추천서가 매우 중요한 역할을 한다. 그 단계를 통과하면 후보자들을 직접 불러 인터뷰를 한다. 인터뷰를 할 때는 능력, 도덕성, 전문성 등 인사 기준을 미리 잘 알고 준비해서 가능한 한 부합되는 대답을 하는 것이 중요하다.

그래서 인사 기준을 알고 전문 분야에서 추천해 줄 수 있는 인맥을 미리 형성해 두는 것이 중요하다. 그러한 철저한 자격 심사를 거쳐 선택되면 대통령께 복수로 우선 순위를 정해 제출한다. 그러면 대통령이 리스트를 보고 내정자를 결정, 발표하게 되는 것이다.

그러니까 인사 기준에 미달되거나 전문 분야에서 추천해 줄 사람이 없으면 아무리 대통령을 개인적으로 알아도 소용이 없다. 선택 단계에서 누락되기 때문이다.

여러 해 전 마이애미에서 집회를 인도한 적이 있었다. 강연이 끝난 후 한 젊은 변호사가 찾아와 자신은 어릴 때 부모를 따라 이민온 1.5세대인데 긍정적이고 미래 지향적인 메시지에 감사한다고 했다.

그런데 몇 달 전 그 변호사가 전화를 했다. 물론 그때까지 나는 이름도 몰랐다. 상황 설명을 해서 겨우 만난 적이 있었다는 것을 기억했다. 용건은 플로리다주 판사 임명을 받기 위해 36명의 후보자들과 경쟁하고 있는데 추천서를 한 장 써달라는 것이었다.

추천서를 써줄 정도로 잘 알지는 못해도 한국계이고 기독교 신앙인일 뿐 아니라 내 강연회에 관심을 가지고 1시간 이상 운전해서 참석할 정도의 성의가 있었다는 것을 감안해 수락했다. 그 대신 능력이나 지도력 등을 잘 모르니까 추천서 초안을 써서 보내주면 가감해서 써주겠노라고 했다. 그 초안을 기초로 부시 지사께 강력한 추천서를 써 보냈다. 두 사람의 합작이었으니 더 훌륭한 추천서가 되었을 것이다.

그랬더니 부시 지사는 능력 있고 훌륭한 후보자를 추천해 준 데 감사를 표하면서 임승우 변호사를 판사로 임명하기로 결정했다는 서신을 보내왔다. 마이애미 장로교회라는 신앙 공동체에서 의도적인 만남이 이루어져 플로리다주 한인 최초 판사 탄생에 일조할 수 있었던 것이다.

대통령 지명을 받아 내정자가 되면 철저한 배경 조사가 이루어진다. 백악관내에는 대통령께 법률 자문을 하는 법률 고문단 사무실이 있다. 8명의 변호사로 구성된 이 사무실 주도하에 연방 수사국이 철저한 배경 조사를 하게 된다. 8개 분야 40페이지에 달하는 양식을 기초로 동료, 이웃, 직장, 교회, 클럽 등 주위 인물들 수십 명과의 인터뷰를 통해 과거와 현재를 철저히 조사한다.

소요되는 시간만 3개월 정도 된다. 재산 형성 과정에서의 소득세 납부, 소속 단체, 이민 과정, 해외여행에서 접촉한 사람들까지 조사 대상이 안 되는 것이 거의 없다. 그러나 평소에 정직하고 성실하게 살아왔으면 통과될 수 있다. 인격과 도덕성 교육에서 정직이 가장 중요하다는 사실을 실감할 수 있었다. 아무리 능력 있고 혼신의 정열을 다해 실력을 쌓아 올리고 전문 분야에서 인정을 받아도 정직하게 살지 않았으면 탄로가 나게 마련이다.

배경 조사 단계를 통과하면 상원 인준을 요하지 않는 대통령 임명자는 선서 후 직무를 시작하게 되고, 상원 인준을 요하는 공직자는 대통령이 상원에 인준을 요청한다. 그러면 상원에서는 10페이지짜리 서류 양식을 기초로 철저한 조사를 다시 실시한다.

주로 "공무원으로서 중립성을 잘 지킬 수 있는 사람인가? 윤리적으로 도덕적으로 어긋나는 행동을 할 가능성이 얼마나 있는가?"에 초점을 두는 것 같았다. 논란이 예상되는 지명자들만 상원 청문회를 하게 되고 논란이 전혀 없는 지명자는 서류로만 통과할 수 있다.

네 단계를 모두 통과하면 선서식을 마치고 직무에 들어가게 된다. 선서식에서는 첫째 헌법 준수, 둘째 적으로부터 국가보호와 방어, 셋째 공직을 개인의 이익을 위해 이용하지 않을 것 등을 맹세한다. 선서식이 끝난 후 정부 고문 변호사가 나와 공무원 윤리에 관한 강의를 하고 여러 권의 소책자로 된 윤리 지침서를 나누어 준다.

나 자신이 대통령 임명 절차를 거쳤기 때문에 그것을 예로 소개했지만 시장이나 주지사가 임명하는 지방 정부 공직자 임명 절차도 대동소이하다.

젊은이들이여, 거시적으로 세상을 보라. 그리고 시대적 사명을 감당하는 선명한 비전과 큰 꿈을 가지고 실력과 인격을 갖추라. 더 나아가 전문 분야에서 당신의 실력과 도덕성을 인정하고 내번하고 추천할 수 있는 많은 친지들을 만나라. 지도자로서 우뚝 서게 되는 날, 명문가는 이루어져 있을 것이다.

7

약점을 성공의 발판으로 삼아라

꿈은 어둠으로부터

명문가 건설을 가슴에 품고

약점을 성공의 발판으로

성공 이상의 성공

꿈은 어둠으로부터 시작된다. 명문가의 꿈도 마찬가지이다. 만일 당신이 명문가에 태어나 성장하고 있다면 명문가를 이루는 꿈을 꿀 필요가 없을 것이다. 그러나 그렇지 못한 가정 출신으로 마음에 꼭 드는 배필을 만나 행복한 가정을 꾸렸다면 적어도 한번쯤은 명문가를 이루는 꿈을 꾸어 볼 수 있을 것이다.

7
약점을 성공의 발판으로 삼아라

꿈은 어둠으로부터

꿈은 어둠으로부터 시작된다. 명문가의 꿈도 마찬가지이다. 만일 당신이 명문가에 태어나 성장하고 있다면 명문가를 이루는 꿈을 꿀 필요가 없을 것이다. 그러나 그렇지 못한 가정 출신으로 마음에 꼭 드는 배필을 만나 행복한 가정을 꾸렸다면 적어도 한번쯤은 명문가를 이루는 꿈을 꾸어 볼 수 있을 것이다.

내 평생에서 가장 어렵고 힘들었을 때가 두 번 있었다. 한번은 9살 된 여동생은 고아원으로, 13살 된 남동생은 남의 집 철물점으로 보내고 나는 맹인재활센터로 떠날 때였다. 그때 우리는 행복한 가정을 갈망했고 그 꿈은 이루어졌다. "꿈이 있으면 성취할 수단도 얻게 된다."

라는 부시 전 대통령의 말은 우리 삼남매에게도 적용된 것이다.

여동생은 서울신학대학 도서관 사서로 근무할 때 항공대 출신 배필을 만나 행복한 가정을 꾸렸다. 남편은 박사학위를 받고 대학교수로 있으며 슬하에 남매를 두고 있다. 아들 홍진이는 퍼듀대학교에서 전자공학을 전공하고 있는데 이미 학생 엔지니어로 두각을 나타내 재정적으로도 완전히 독립한 상태이다. 딸 은별이 역시 퍼듀대학교 약학 박사 과정에서 약사 예비생으로 공부하고 있다.

진석, 진영이가 사촌들과 한자리에 모였다.

남동생 부부는 세탁소를 경영하면서 슬하에 세 딸을 두고 신앙 생활을 잘 하며 안락하게 살고 있다. 큰 딸 은미는 퍼듀대에서 산업경영을 전공한 후 회사에 다니고 있다. 둘째 딸 은정이는 퍼듀대에서 생물학을 전공하고 현재 인디애나대 치과 전문대학

원에 재학 중이다. 막내 은영이는 퍼듀대에서 컴퓨터 그래픽 디자인을 전공하고 있다.

그러니까 조카 다섯에다 진석이와 진영이를 합치면 7명의 젊은 이들이 각각 다른 전공으로 다른 인생의 꽃을 피워가고 있다.

두 번째로 가장 무기력하게 느꼈을 때는 박사학위를 취득하고도 취직이 안 되어 고민 속에 눈물로 기도하던 때였다. 그래서 그때 태어난 진영이의 미국 이름을 "그리스도의 인내"라는 의미를 가진 크리스토퍼라고 지었다. 참고 기도하면 반드시 하나님의 뜻대로 응답해 주신다는 것을 믿고 기회의 땅 미국에서 명문가를 이루는 꿈을 꾸었는데, 사반세기 후 그 꿈은 실현되었으며 이제는 아들 세대를 향해 약점을 토대로 명문가의 꿈을 이루라고 외치고 있는 것이다.

명문가 건설을 가슴에 품고

명문가 건설은 행복한 가정이 전제된다. 왜냐하면 그것은 부부와 자녀들의 공동의 꿈이 되어야 하기 때문이다. 물론 부부 어느 한쪽에서부터 시작되지만 사랑의 대화를 통해 공동의 꿈이 되고 자녀들에게도 유치원에 들어갈 나이쯤에서 전승이 가능하다.

부끄러운 고백이지만 나는 사실 스스로 명문가에 대한 꿈을 가졌던 것이 아니라 박사가 된 직후 당시 벤두손 피츠버그대 재정 부총장의 도움을 받았다. "강 박사, 이제 당신은 박사가 되었고 영특한 아들 폴이 있으니 부자가 명문가를 만들어 보십시오. 명문가는 만들어집니다. 나도 우리 집안에서 최초로 대학을 나오고 노스웨스턴 법학전문대학원을 나와 변호사로 피츠버그대 재정 부총장까지 되었습니다."라는 말씀에 도전을 받아 당대에는 어려워도 두 아들을 잘 양육하고 교육해서 명문가를 만들어 보자고 결심했던 것이다.

진석이가 3학년, 진영이가 유치원 때인 1982년 처음으로 온 가족이 한국을 방문할 때 명문가의 꿈을 아들들에게 전승해 주기 시작했다. 대구대학교 객원교수로 국제협력학장을 할 때라 내당동 삼익맨션 대구대 아파트에 머물면서 우선 근처에 있는 경주와 해인사 등 고적지를 방문하고 진주 강씨 시조를 모신 곳에 데리고 가는 것으로부터 시작했다. 그때 두 아들에게 시조인 강이식 장군과 같이 미국에서 강씨 가문의 시조가 되라고 했다. 그렇게 되기 위해서는 링컨 대통령 아들이나 케네디 대통령 아들처럼 필립스 아카데미를 거쳐 아이비리그 명문대학을 나와야 한다고도 했다.

그랬더니 진영이도 충분히 이해하는 것이었다. 오히려 형보다 더 큰 관심을 보이고 강씨 후손이라는 긍지도 더 크게 가지는 것 같았다. 4년 후 학교에서 한국계 미국인으로 명문가를 만들어 보겠다는 포부를 밝혀 참석한 다른 부모들의 박수갈채를 받기도 했다.

우리 부부는 진석이, 진영이의 가슴에 꿈을 심어주고 그 꿈을 키워줄 때 직접적인 방법보다는 간접적인 방법을 더 많이 썼다. 즉 부모 자녀 관계에 하나님을 개입시켜 기도로 전하고 싶은 메시지를 간접적으로 전했다.

온 가족이 저녁 식탁에 둘러앉았을 때나 잠자리에 보낼 때 아들들에게 전하고 싶은 내용을 담아 기도하면 아들들도 그것을 듣고 이해했다. 아들들에게 가슴에 품은 큰 뜻을 쉽게 포기하지 말라고 여러 번 얘기하면 잔소리가 되어 버리지만, "아이들에게 선명한 인생의 비전과 분명한 목적을 주셔서 감사드리며 그 놀라운 꿈을 이루어갈 수 있는 지혜와 능력 또한 주옵소서."라고 기도하면 자신에 대해 다시 생각하게 될 뿐만 아니라 하나님과의 관계도 더욱 굳건해진다.

진영이는 20살이 되어서야 엄마 아빠의 기도가 자신과 형도 들으라는 것이었다는 사실을 알았다고 한다. 그때까지 부모의 교육적인 의도를 눈치 채지 못했기 때문에 그만큼 성과도 컸을 것이다.

이제는 진석이와 진영이도 결혼해서 각각 독립된 가정을 꾸리고 있다. 가끔 자부들을 만나면 명문가를 계승해가는 꿈을 자녀들에게 심어주라고 하고, 체험으로 검증된 기도를 자녀 교육 방법으로 활용하라고 충고한다.

큰 자부는 인디애나 영재학교를 나왔으며 고교 졸업 때 전교 수석을 한 재원이고 작은 자부는 일리노이 영재학교를 나온 재원이다. 그런데 자녀는 학비를 많이 투자하더라도 남편들이 졸업한 필립스 아카데미에 보내겠다는 것이다. 그래서 "너희들은 영재학교에서 교육을 받았는데 왜 자녀들은 필립스 아카데미에 보내려고 하느냐?"고 물었다. 한마디로 졸업생의 실력 차이는 없는데 인격 차이가 있기 때문이라고 했다. 뿐만 아니라 남편을 따라 동창회 모임에도 참석해 보고 캠퍼스도 방문해 보았는데 동문간 유대 관계가 대단하더라는 것이다. 주립 영재 특수학교는 그러한 분위기가 아니라고 했다.

"꿈이 있으면 성취할 수단도 얻게 된다."는 부시 전 대통령의 말을 나는 좋아한다. 명문가를 이루는 꿈을 실현하기 위한 과정 목적으로 두 아들을 필립스 아카데미와 아이비리그 대학에 보낼 학자금을 준비하기 위해 진석이와 진영이 이름으로 통장을 열어 지금까지 내가 관리해 오고 있다. 물론 법적으로는 아들들에게 속한 것이라 그것을 넘겨주고 말고 할 것도 없다. 하지만 지금까지 나도 그것을 선뜻 내주지 않았고 아들들도 달라고 하지 않았다.

그러다 얼마 전에 두 아들 부부에게 그것을 넘겨줄 터이니 그것을 기초로 장차 태어날 자녀들이 명문가를 계승하는 꿈을 실현하도록 도우라고 했다. 물론 긍정적이고 열정적인 답을 받았다.

에이브러햄 링컨의 어머니는 넓은 세상에 한번 나와 보지도 못하고 가난한 농가에 묻혀 살다가 병균에 오염된 우유를 마시고 아들이 9살 되던 해 젊은 나이로 하늘나라로 가고 말았다. 그러나 그녀는 아들에게 영원히 불멸하는 유산을 남겼다. 훗날 링컨은 이렇게 증언했다.

"오늘날의 나는 모두 어머니 덕분입니다. 왜냐하면 나는 어머니로부터 꿈을 꾸는 것을 배웠고, 인생이 어렵고 고난이 겹칠 때에도 그 꿈을 포기하지 않고 보호하고 가꾸는 방법을 배웠기 때문입니다."

명문가의 꿈은 행복한 가정이 전제된다고 했다. 그러면 행복한 가정은 어떤 가정인가? 행복은 객관적인 조건이나 환경의 영향을 받기도 하지만 주관적이라 할 수 있다. 남이 보기에는 부족한 것 투성이인데 정작 본인들은 행복을 느끼고 살아가는 경우도 허다한 것이다.

나에게 장가를 잘 갔다고 하는 이들이 있는가 하면 아내에게 시집을 잘 갔다고 하는 이들도 있다. 어쨌든 우리는 결혼을 잘한 부부이다. 그런데 30년 전 결혼식을 할 때는 우리 부부가 행복하게 살 수 있을까 우려하는 사람들도 많았다. 나름대로 행복의 조건을 가지고 판단했기 때문이다. 객관적인 행복의 조건으로 보면 당시 우리 부부는 행복한 가정이 아닐 수도 있었다.

하지만 역설적으로 우리 부부는 그때가 가장 행복했다. 무엇보다도 눈에 보이지 않는 미래에 대한 소망이 있었기 때문이다. 지금은 그

눈에 보이지 않았던 소망이 대부분 현실로 이루어졌다. 그리고 그때는 누가 무엇이라 해도 상관없는 젊은이의 뜨거운 사랑이 있었는데 이제 나이 들어 그러한 사랑도 차츰 식어가는 것을 피부로 느끼기 때문이다. 이제는 자녀를 양육하는 보람도 기쁨도 없어지고 장성한 아들 내외를 바라보며 그저 대견하게 생각할 뿐이다.

결혼할 당시 나의 실명으로 인해 아내는 고생만 하고 행복을 느끼기가 어려울 것이라 생각하는 이들도 적지 않았지만 오히려 아내는 그때나 지금이나 나의 약점 때문에 더욱 행복하다. 그래서 내가 장가를 잘 갔다는 말보다 아내가 시집을 잘 왔다는 말을 더 자주하면서 살아온 것이 사실이다.

결혼은 크게 로맨스 중심의 결혼과 지원(supportive) 중심의 결혼으로 분류하기도 한다. 그런데 놀랍게도 연애감정에 근거한 결혼보다 지원적 사랑에 근거한 결혼이 이혼율이 낮고 행복한 가정의 사례가 많다. 약점이 있으면 배우자가 떠날 확률이 더 높을 것 같은데 실제로는 정반대라는 것이다. 자신이 상대방에게 꼭 필요한 존재라고 느끼기 때문에 존재 가치를 느끼고, 보람과 행복도 클 수 있기 때문이라는 분석이 있다.

그런 관점에서 볼 때 우리 결혼도 지원적 사랑 유형의 결혼이라 할 수 있다. 같은 맥락에서 여러 가지 문제로 생존 자체에 위협을 받는 가정보다는 기반이 잡힌 부유한 가정의 이혼율이 높고, 명문가 출신으로 명문가를 이어가는 사람들은 30%에 불과하고 평범한 가정 출신으로 명문가를 당대에 이룬 사람들은 전체 명문가 중 70%에 달한다고 한다.

그러므로 현재 어떤 환경에 처해있든지 배우자와 함께 명문가를 이루는 큰 꿈을 품으라. 당신의 약점이 무엇이든지 그것은 당신의 아름다운 꿈을 이루는 초석이 되고 도구가 될 수 있다.

약점을 성공의 발판으로

여러 해 전 내가 처음으로 집필한 빛은 내 가슴에가 도쿄 소재 사람과 문화 출판사에서 출간되었을 때 일이다. 당시 일본 요시오 외상께서 그 책을 읽으시고 감동이 되어서 보좌관 이마네시 박사를 대동하고 하네다 공항으로 나를 마중하러 나오셨다.

국가 손님도 아닌데 한 맹인 박사를 만나러 직접 나오신 것이 너무나 황송해서 "일국의 외상으로 공항까지 나와 주시니 무엇이라 감사의 표현을 해야 할지 모르겠습니다."라고 했다. 그랬더니 "내가 일본 외상으로 강 박사를 만나러 온 것이 아니고 가가와 도요히코 목사처럼 약한 점을 자랑하는 신앙을 가졌기에 신앙의 동지로, 장애인 친구로 나왔습니다."라고 하는 것이었다.

가가와 도요히코

가가와 도요히코 목사는 세계 2차 대전 때 반전 평화 운동 지도자로 활동하다가 일본 천황에게 불려갔다. 죽이든지 감옥에 보내든지 할 상황에서 천황이 그에게 물었다고 한다.

"도대체 네가 그렇게 죽도록 충성하는 예수는 누구를 닮았느냐?"

그랬더니 가가와 목사는 담대하게 한 마디로 대답했다.

"저를 닮았습니다. 저를 보시면 예수님을 가장 잘 아실 것입니다."

그 대답을 듣고 천황은 화를 내며 소리쳤다.

"그걸 대답이라고 하느냐? 그러면 예수가 너를 어떻게 닮았단 말이냐?"

"지금 제 몸속에 흐르는 피는 죄악으로 가득 찬 더러운 피입니다. 어머니도 천한 기생이었고 할머니도 기생이었습니다. 그런데 예수님은 이렇게 더럽고도 천한 저에게 오셔서 저를 구원하시고 변화시켜 그분의 도구로 사용하십니다. 또한 저는 폐결핵 3기로 살아날 가능성이 없다고 의사들이 진단했으나 예수님의 권능으로 고침을 받아 이렇게 반전 평화 운동을 하고 있습니다."

그 두 가지가 모두 사실이라는 것을 확인하고 천황은 그를 풀어주었다고 한다.

사꾸라우치 요시오는 시마네현 이즈모시 출신 중의원 의원으로

50년 이상 의정 활동을 하면서 자민당 간사장과 중의원 의장 등의 요직은 물론 외상을 비롯한 각부 장관을 두루 거친 일본의 거인이며 친한파로 한국에 자주 내한했다. 정계에 입문하기 전 젊은 날에는 농아학교 교장을 역임한 바 있으며 그러한 인연으로 장애인의 친구로 장애인 복지 증진에 크게 기여하고 있다.

실명을 성공의 발판으로

가가와 목사의 약점들이 천황을 감동시키고 추상적인 예수의 모습을 구체적으로 드러내는 결정적인 도구로 쓰였듯이 나의 실명과 가난도 명문가를 이루는 도구가 되었다.

내가 실명을 하지 않고 양친을 잃지 않았다면 아내를 만나지 못했을 것이다. 부모님이 돌아가시고 가세가 기울어 맹학교 등록금조차 낼 수 없어 걸스카우트 지도자 훈련을 받는 여대생들이 모금한 성금을 받으러 가게 되었다. 그리고 나의 실명과 그녀의 착한 마음씨로 인해 그녀를 만날 수 있었다.

또한 실명의 고통이 없었다면 부시 전 대통령이나 손버그 전 법무장관 같은 세계적인 지도자들도 만나지 못했을 것이다. 뿐만 아니라 진석이와 진영이도 다르게 자랐을 것이다. 진석이는 아빠의 실명으로 인해 안과 의사가 되는 꿈을 품었고, 진영이는 저소득층과 장애인들에게 사회정의를 실현해 주겠다는 사명감을 가졌기 때문이다.

특히 진영이는 초등학교와 중학교 때 아빠의 이야기를 너무 좋아해서 수업 시간에 기회만 있으면 교실에서 했다. 그 사람이 나라는 것은 밝히지 않고 했는데 하루는 두 번째 같은 이야기를 들은 선생님이 "크리스, 너 또 그 맹인 박사 이야기하니?"라고 묻기도 했다고 한다. 아내는 아예 직업까지 바꾸어서 시각장애 교육자로 사반세기를 봉사하고 있다.

요컨대 약점을 통해 온 가족이 함께 명문가를 건설한 것이다. 가가와 목사의 약점은 육안으로는 볼 수 없는 것이다. 자신이 이야기하지 않는 한 몸속에 천기의 피가 흐르는지 순결한 여성의 피가 흐르는지 사람들이 알 리가 없다. 그러나 나의 실명은 감추고 싶어도 감출 수 없는 약점이다. 이렇게 종류와 정도는 다를지언정 거의 대부분의 사람들이 약점을 지니고 살아간다.

부시 대통령은 이런 말을 했다. 미국에는 인구의 20%에 달하는 5천 4백만 장애인이 있는데, 그중 절반은 장애 정도가 심해서 볼 수 없는 시각장애인, 들을 수 없는 청각장애인, 걷지 못하는 지체부자유자와 일반 생활에서 기능을 할 수 없는 장애인들이라고 한다. 그런데 80%의 비장애인들도 한평생 사는 동안 어느 시점에서 장애인의 쓰라린 아픔을 일시적이나마 경험해 보게 될 것이라는 것이다.

신제장애도 일종의 약점이다. 이 외에도 가난, 천한 출신, 배우지 못한 것 등 다른 약점들도 많다. 그러한 약점들은 부정적이든 긍정적이든 영향을 미친다. 약점을 가진 개인에게는 물론 다른 사람들에게도 영향을 미치게 마련이다.

나의 실명은 우리 네 식구에게 긍정적인 영향을 미쳐서 성공도 하게 하고 명문가도 건설하게 했다. 그러나 그 반대인 경우가 더 많다. 다시 말하면 부정적인 영향을 미치는 경우가 더 많다. 장애인 자신은 물론 비장애인 가족까지도 부정적 영향으로 위축되고 열등감을 느끼고 운명을 탄식하며 살아가는 경우가 너무 많은 것이다.

"내가 약할 때 강함이니라"라는 성경의 진리를 깨닫고 실천하지 못하기 때문이다. 어떻게 보면 모순이지만 "약점을 강점으로" 인식하는 순간부터 새 인생이 시작되는 것이다.

숙명적인 약점을 가졌다고 탄식하고 있다면 그것을 토대로 오늘 시작하라. 때를 놓쳤다고 한탄하고 있다면 지금 시작하라. 나는 실명의 장애를 가지고도 18살에 중학생으로 시작해서 32살에 박사가 되었고, 40살에 미국 시민권을 취득해서 오늘날 차관보급 연방정부 공무원이 되었다.

도전하라! 당신의 약점을 토대로 성공도 하고 명문가도 건설하라. 미래는 꿈꾸고 도전하는 이들에게 속한다는 진리를 믿고 실천하라.

박기억 총재는 평양에서 의학전문학교를 졸업하고 빈손으로 남한에 피난와서 중견 상장 기업인 DI그룹 창업회장으로 명문가의 꿈을 이룬 분이다.

성공 이상의 성공

박기억 총재

1993년 연초에 당시 로터리 클럽 3650지구 박기억 총재를 찾아가게 되었다. 뉴욕 7230지구와 함께 국제 로터리 재단 상응 보조 프로젝트로 장애인용 컴퓨터 센터를 서울에 설치하자는 제안을 하기 위해서였다.

초면이지만 나는 로터리 세계에서 잘 알려져 박 총재는 그 자리에서 수락했다. 그리고 박 총재의 리더십으로 한국 로터리 전체가 참여하는 8만 달러짜리 프로젝트를 불과 수개월 만에 성사시킬 수 있었다. 이후 계속 교제가 이어져 최근 세상을 떠날 때까지 내가 회장으로 이끌고 있는 국제교육재활교류재단 이사로 봉사 활동을 함께 했다.

박기억 총재는 평양에서 의학전문학교를 졸업하고 빈손으로 남한에 피난와서 중견 상장 기업인 DI그룹 창업회장으로 명문가의 꿈을 이룬 분이다. 아무것도 가진 것 없이 의료 기재 판매상으로 시작해서 연간 매출액 천억이 되는 상장 기업의 신화를 이룬 것이다. 돌이기시기 전 유언으로 50만 달러를 국제 로터리 재단에 기부하면서 장애인 재활에 사용되기 바란다고 했다. 그 유언은 아들 후임 DI그룹 회장에 의해 집행되었다. 그분은 세상을 떠났지만 숭고한 인간애와 장애인에 대한 사랑은 국제 로터리 재단 사업을 통해서 영원할 것이다.

미국의 명문가들

명문가는 만들어진다. 그리고 당신도 만들 수 있다. 그러나 명문가를 만드는 것보다 더 중요한 것은 어떻게 사느냐 하는 것이다. 나는 미국에서 대를 이어가며 명문가를 유지하는 부시가, 루스벨트가, 케네디가 같은 가문들과 교제하고 있다. 그들에게는 공통점이 참 많다.

가장 큰 공통점은 나처럼 절망적인 상황에서도 포기하지 않고 노력하고 투쟁하는 사람들을 동정하고 사랑한다는 것이다. 나에게 실명이라는 약점이 없었다면 나의 신분으로는 그들 근처에도 갈 수 없었을 것이다. 그들이 명문가로서 대를 이어갈 수 있는 것은 바로 그 고귀한 인간 정신 고취에 있는 것이다.

케네디 재단은 매년 인간 차별, 불의, 빈곤, 질병, 장애 등에 굴하지 않고 끝까지 승리한 인간 승리자를 선정, "용기의 프로필"(profile in courage) 상을 시상하고 있다. 케네디 대통령의 말대로 인간이 기억되는 것은 "인간 정신 문화에 어떤 영향을 미쳤으며 어떤 흔적을 남겼느냐"에 좌우된다.

루스벨트 재단에서는 홀수해에는 미국인에게, 짝수해에는 외국인에게 루스벨트 4대 자유 메달을 시상하고 있다. 4대 자유란 언론과 표현의 자유, 숭배의 자유, 빈곤으로부터의 자유, 공포로부터의 자유를 말한다. 루스벨트 대통령이 남기고 간 인간 정신이 그러한 방법으로 기억되고 젊은 세대들에게 전승되고 있는 것이다.

부시 대통령 도서관 재단에서도 부자 대통령의 인간 정신을 역사 속에 자리잡게 하는 각종 사업을 이미 시작한 상태이다.

이렇듯 명문가가 만들어지고 유지되기 위해서는 계속해서 인간 정신 문화에 보탬이 되어야 한다. 성공하라. 그리고 명문가를 만들라. 그러나 그것은 인생의 중간 목적에 불과하다. 궁극적으로는 먼 훗날까지 기억될 수 있도록 인간 정신 세계에 흔적을 남겨야 한다.

워싱턴 백악관 근처에 봉헌되는 "십리를 간 사람들"의 거리에는 20세기 인간 승리의 상징이라 할 수 있는 헬렌 켈러의 동판도 새겨진다. 헬렌 켈러는 세상 기준에 비추어서는 성공을 못했지만 위대한 성취자가 되었다. 명문가는 못 만들었어도 위대한 인간 정신을 역사 속에 영원히 남긴 것이다. 그녀는 오늘도 살아서 젊은이들에게 "그것은 불가능하다고 속삭이는 동안 이미 그 불가능은 가능하게 되었노라"라고 말하고 있다.

또한 소아마비 장애인으로 헬렌 켈러의 영향을 가장 많이 받은 21세기 영웅 루스벨트 대통령도 여전히 "마음속에 있는 공포 이외에는 두려워할 것이 아무것도 없습니다. 확신을 가지고 미래를 향해 정진하십시오."라고 외치고 있다.

환경도, 조상도, 운명도 탓하지 말라. 당신이 지금 불평하고 탓하고 있는 모든 악조건들은 긍정적인 자산으로 변화시킬 수 있기 때문이다. 그러한 악조건들은 영원히 불멸하는 인간 정신 문화 형성에 기름진 자양분이 될 것이다.

저스틴 다트

2002년 7월 26일 미국 장애인 민권법 12주년 기념일에 있었던 일이다. 미 연방 상원에서는 소아마비 장애인으로 5주 전인 6월 19일에 타계한 인간 승리자를 추모하는 성대한 행사가 있었다.

그 주인공은 1986년 국가장애위원회 위원으로 장애인 민권법 제정을 의회에 제안하는 중요한 역할을 담당했으며, 그 법을 통과시키기 위해 50개 주를 다니며 홍보 활동을 성공적으로 전개, "미국 장애인 민권법의 아버지"라고 일컬어져 왔다. 그는 소아마비 중증장애인 고용촉진위원회 위원장, 국가장애위원회 위원 등 장애인계 지도자 역할을 감당하여 명문가를 이루었으며 역사 속에 불멸의 흔적을 남겼다.

클린턴 행정부 때는 국민 최고 훈장인 "자유의 메달"을 수상했으며, 미국 장애인 민권법 12돌을 기념하는 행사에서는 부시 현 대통령이 직접 그가 남기고 간 인간 정신을 언급하기도 했다. 또한 상원에서는 홉킨스 의원과 케네디 의원 등이 그의 업적과 정신을 추모하는 특별결의문을 채택하여 영원히 의회 기록으로 남겼다.

바로 그, 저스틴 다트는 나에게는 백악관 직속 국가장애위원회에서는 대선배요 세계장애위원회에서는 동지요 친구였다. 또한 한국 장애인계 지도층 인사들이 미국을 방문했을 때 소개해 주어 한국 장애인계에도 알려진 인물이다.

장애인계 한 지도자의 죽음을 백악관과 연방 상원이 동시에 약속이나 한 듯 애도하고 추모하는 모습은 정말 감명 깊었다. 나 또한 남은 생애 동안 인간 정신에 더 큰 흔적을 남기도록 힘써야겠다는 각오를 다시 한번 다져보았다.

루스벨트 장애인 동상 프로젝트 - 고든 건드

나는 1996년부터 루스벨트 재단 고문으로 활동해 오고 있다. 그 덕분에 1997년 5월 2일 루스벨트 기념관이 워싱턴에 봉헌될 때 백악관 만찬회에서 연설을 하는 영광을 가지기도 했다. 그런데 그 기념관에는 루스벨트 대통령이 23년 동안 중증 장애인으로 살았다는 자취가 없

대기업을 경영하는 맹인 고든 건드 사장은 50만 달러를 선뜻 기부했다.

"나는 루스벨트가 남긴 숭고한 인간 정신은 남길 수 없지만, 동상이 건립되면 루스벨트 기념관을 찾아올 수많은 사람들에게 대대로 그 정신을 전할 수는 있을 것이다."

었다. 그래서 미국 장애인계 지도자들 중심으로 기념관내에 루스벨트 장애인 동상을 추가로 건립하자는 운동이 일어났던 것이다. 그러한 운동이 결실을 맺어 연방 상하원의 지지를 업고 그해 7월 26일 클린턴 대통령이 서명했다.

그동안 나는 루스벨트 재단과 관계를 해왔기 때문에 고어 부통령이 위원장이었던 루스벨트 장애인 동상 추가 건립 위원회 위원으로 봉사할 기회가 있었다. 그런데 그 프로젝트를 국민들도 지지하고 협력한다는 표시로 건립 경비 500만 달러 중 350만 달러는 국가가 지원하고 나머지 150만 달러는 모금으로 충당하라는 것이었다. 그 돈을 모금하는 과정에서 많은 것을 느끼고 배웠다.

41대 부시 대통령과 밥 돌 전 상원 원내총무는 공화당이고 루스벨트 대통령은 민주당 중시조인데 그 모금 행사에 직접 참석하셔서 각각 5천 달러씩 기부하고 격려하는 모습에서 받은 감동은 지금도 생생하다. 또한 장애인들도 적극적으로 참여했다. 장애인들이라 해서 다 가난한 것은 아니다. 부자도 있고 평범한 사람도 있고 가난한 사람들도 있는 것이다. 뿐만 아니라 장애인들도 비장애인들을 도울 기회가 얼마든지 있다.

대기업을 경영하는 맹인 고든 건드 사장은 50만 달러를 선뜻 기부했다. 전체 모금액의 1/3을 한 맹인이 기증한 것이다. 루스벨트 장애인 동상 제막식날 백악관에서 만나 어떻게 그러한 거금을 기부할 수 있었느냐고 물었다. 그는 이렇게 대답했다.

"나는 루스벨트가 남긴 숭고한 인간 정신을 남길 수 없지만 그 동상이 건립되면 루스벨트 기념관을 찾아올 수많은 사람들에게 대대로 그 정신을 전할 수 있기 때문입니다."

고든 건드 사장은 명실공히 세계 명문인 하버드대를 나왔다. 그리고 해군에 입대하여 군복무를 마치고 제대하여 기업인으로 성공하고 있었다. 그러던 중 망막 색소증으로 차차 가장자리에서부터 시력을 잃기 시작하여 끝내는 완전 맹인이 되었다. 그러나 그러한 어려움 속에서도 기업가로 계속 성공해서 많은 부를 축적할 수 있었다.

그는 실명하기 전 하버드대에 다닐 때 하키 선수였다. 그래서 기업인으로 성공해서 번 돈 일부를 오하이오주 클리블랜드시에 하키와 농구 겸용 스타디움을 세우는 데 투자하고 자신의 이름을 따서 건드 애리나라고 이름 지었다. 비록 실명은 했지만 아직도 하키와 농구에 대한 관심은 남다른 데가 있어 미국 농구협회와 하키협회 이사로도 봉사하고 있다.

그리고 자신을 맹인으로 만든 망막 색소증을 비롯한 질환 연구를 위한 '실명 두생 재단'을 매릴랜드주 볼티모어시에 설립, 이사장으로 봉사하고 있으며, 모교인 하버드대학교에 별도로 5백만 달러를 기증, 망막 질환 정복을 위한 석좌 교수를 개설하여 연구에 박차를 가하고 있다. 그로 인해 고든 건드 사장은 매릴랜드대를 위시한 여러 대학들에서 명예 박사 학위를 받기도 했다. 언젠가는 그를 맹인으로 만든 망막 질환도 정복될 것이다. 그러나 그것보다 더욱 고귀한 것은 그가 결코 포기하지 않고 실명의 고통과 불편에 대항해 투쟁하면서 인간 존엄성의 가치를 실현해 가고 있다는 것이다.

허체 스미스

우리는 하버드대 잡지와 신문을 받아 보는데, 허체 스미스 박사가 유산으로 그의 모교인 영국 케임브리지 대학과 매사추세츠 케임브리지에 소재한 하버드대에 각각 1억 달러를 유산으로 기부했다는 기사가 실렸다. 그는 영국에서 태어나 케임브리지대를 거쳐 옥스퍼드대에서 화학으로 박사학위를 받았다. 그리고 미국에 건너와 과학자로 명성을 떨치다가 제약 회사를 차려 엄청난 부를 축적했다.

양교에 기부된 2억 달러 중에는 수학, 과학, 컴퓨터 분야에서 석좌 교수를 신설하는 것과 양교 대학원생들이 교환하는 장학금이 포함되어 있다고 한다. 성공도 하고 돈도 벌어 얼마나 멋있게 썼는가? 그의 학문 탐구 정신과 박애 정신은 영국 케임브리지대와 미국의 하버드대 양교를 통해 영원할 것이다.

젊은이들이여, 성공에 대한 야망과 꿈을 가지라. 그리고 성공하라. 명문가를 이루라. 그러나 성공이 당신 인생의 궁극적인 목적이 아니라는 사실을 기억하라. 성공한 후 어떻게 사느냐가 더 중요하다. 소아마비 예방 접종을 개발한 쏠크 박사는 "실천과 행함의 가장 큰 보람은 더 많은 것을 실천하고 행할 기회가 주어진다는 것이다."라고 했다. 성공을 하면 더 큰 성공을 할 기회가 생기고, 조그만 사랑의 씨를 뿌려서 가꾸어 가면 더 큰 사랑의 씨앗을 뿌려 커다란 결실을 맺을 기회가 생긴다.

글을 맺으며

나는 이 책에서 벼랑 끝에서 시작하여 미국 5천4백만 장애인들에게 영향을 미치는 중책을 담당하는 연방정부 최고 공직자가 될 때까지의 체험을 통해 새로운 교육 원리가 아니라 이미 학문적으로 검증된 교육 이론 7가지를 소개하려고 했다. 이제 그 결론을 내려야 할 때가 된 것 같다.

오늘날 세계화를 주도하는 미국 문명은 기독교 문명이라 할 수 있다. 문명의 일부인 교육도 마찬가지이다. 결국 이 책에 소개된 교육 이론은 학문적으로, 체험적으로 검증되었을 뿐만 아니라 그 기초가 성경과 기독교 신앙에 있다 하겠다.

성경 신명기 28장 시작 부분을 보면 "말씀에 순종하고 계명을 지키면" 세계 민족 위에 뛰어나게 하시고 만복을 대대로 주신다고 했다.

다시 말하면 미국을 오늘날 미국으로 높이고 나와 우리 가족을 높인 교육 이론을 실천하면 말씀에 순종하고 계명을 실천하는 결과가 되기 때문에 하나님의 놀라운 축복을 받을 수 있다는 해석이 가능하다.

언어와 문화를 초월해 인간의 고귀한 속성으로 인정되는 사랑, 자유, 평등, 평화, 정의, 존엄 등도 하나님의 형상에서 비롯된 것이다. 그러한 인간 정신 문화에 당신의 씨앗을 뿌리고 가꾸라. 당신이 가진 가장 좋은 것을 세상에 주라. 테레사 수녀 말대로 "얼마나 많은 것을 주느냐가 아니라 당신이 주는 것에 얼마나 큰 사랑이 담겨 있느냐"가 중요하다.

무엇보다도 먼저 당신의 고귀한 생명을 사랑하라. 약점 투성이인 당신을 몽땅 사랑하고 그 약한 것들, 가난, 역경, 장애까지도 기뻐하고 자랑하라. 그것들은 당신을 강인하게 할 뿐만 아니라 고귀한 인간 정신 문화의 자양분이 되며 하나님의 영광을 드러내는 도구가 될 것이다.

이제 독자 여러분들은 "실명에도 불구하고서가 아니라 나에게는 가장 큰 약점이 되는 실명을 토대로 인물들도 만나고 성공도 하고 세상에 삶의 흔적도 남기고 하나님께 영광을 돌리기도 한다"는 말을 이해할 수 있으리라 생각된다.

2002년 8월 20일자 미주 중앙일보 동정란에 "강영우 박사 차남, 강진영씨 더빈 의원 고문 변호사가 됐다"란 제목의 기사가 실렸다.

30년 전 한국을 떠나올 때 나는 아내에게 언젠가는 내 이름 앞에 맹인이라는 수식어가 붙지 않는 날이 올 것이라고 했다. 이제 그런 수식어가 필요 없게 된 지 오래다.

대신 강영우 박사라는 수식어가 의학박사 안과 전공의인 진석이와 법학박사 변호사인 진영이 이름 앞에 가끔 붙는데 불원간 그들 이름 앞에도 그러한 수식어가 필요 없게 될 것이다. 그들에게는 시대적 사명을 능히 감당하고 세상을 높이며 인간 정신 문화에 흔적을 남길 기회가 기성세대보다 더욱 많기 때문이다. 뿐만 아니라 두 아들은 "내가 약할 때 강함이니라"라는 성경의 진리를 어릴 때부터 이해하고 실천하는 방법을 알기 때문이다.

강영우박사 차남 강진영씨
더빈의원 고문변호사 됐다

리차드 더빈 일리노이주 연방 상원의원 입법 보좌관으로 일해왔던 강진영(미국명 크리스토퍼 강, 26세)씨가 더빈의원 법사위 고문 변호사로 승진했다.

시카고대와 듀크법대를 졸업하고 더빈의원 입법보좌관으로 워싱턴에서 활동을 시작한 강씨는 8개월 만에 최근 최연소 더빈의원 고문변호사가 된 것.

강씨는 더빈의원의 입법을 돕는 고문 변호사 4명 가운데 한명으로 아시안으로는 유일하다.

강씨는 시카고대에서 정치학과 경제학을 동시에 공부하고 듀크 법대를 나와 일리노이 변호사 자격 소지자다.

한편 강씨의 부인도 시카고대를 나와 하버드 법대를 졸업하고 워싱턴의 한 법률회사에서 일하고 있는 촉망받는 인물이다.

강진영씨는 장애를 극복하고 부시 정가의 한인으로 최고위직 가운데 한명인 강영우 박사의 차남이다.

이상영 기자

진영이의 승진은 미국 한인사회에서 화제가 되었다.

"하나님을 사랑하는 자 곧 그 뜻대로 부르심을 입은 자들에게는 모든 것이 합력하여 선을 이루느니라" (롬 8: 28).

내 안의 성공을 찾아라

© 생명의말씀사 2002

등록 : 1962. 1. 10. No.1 - 201

2002. 11. 10. 1판 1쇄 발행
2002. 11. 14. 3쇄 발행

발행인 : 김 재 권
저 자 : 강 영 우
발행소 : 생 명 의 말 씀 사
인쇄소 : 영 진 문 원

110 101
서울 종로구 송월동 32-43

본 사 TEL : (02)738-6555
FAX : (02)739-3824

영업부 TEL : (02)3159-7979
FAX : 080-022-8585

발송부 TEL : (02)3158-6778
FAX : (02)3158-2362

국내직영서점

생명의말씀사 : 광화문점
110-061 종로구 신문로1가 58-1
구세군 회관 2층
TEL : (02) 737-2288
FAX : (02) 737-4623

생명의말씀사 : 강남점
137-909 서초구 잠원동 75-19
반포쇼핑타운 3동 2층 전관
TEL : (02) 595-1211
FAX : (02) 595-3549

생명의말씀사 : 분당점
463-824 경기도 성남시 분당구 서현동
268-2 이랜드프라자 지층
TEL : (031) 707-5566
FAX : (031) 707-4999

생명의말씀사 : 신촌점
121-806 마포구 노고산동 107-1
동인빌딩 8층
TEL : (02) 702-1411
FAX : (02) 702-1131

해외직영서점

WORD OF LIFE BOOKS : L.A.점
2717 W. Olympic Blvd.,
Los Angeles, CA., 90006
TEL : (213) 382-4538
FAX : (213) 382-1154

WORD OF LIFE BOOKS : 시카고점
5786-8 N. Lincoln Ave.,
Chicago, IL., 60659
TEL : (773) 509-1110
FAX : (773) 907-0534

WORD OF LIFE BOOKS : 워싱턴점
7031 Little River Turnpike #17D
Annandale, VA., 22003
TEL : (703) 256-3444
FAX : (703) 256-5515

인터넷 서점

http:// www.lifebook.co.kr

값 10,000 원
ISBN 89-04-12109-4